彭正雄著

歷代賢母事略

文史哲出版社印行

國立中央圖書館出版品預行編目資料

歷代賢母事略／彭正雄著 --初版.--臺北市：
文史哲，民80
面；　公分
ISBN 957-547-080-X（平裝）

1.婦女 - 傳記 - 中國

782.22　　　　80003843

歷代賢母事略

著者：彭正雄
出版者：文史哲出版社
登記證字號：行政院新聞局局版臺業字〇七五五號
發行所：文史哲出版社
印刷者：文史哲出版社
台北市羅斯福路一段七十二巷四號
郵撥〇五一二八八一二彭正雄帳戶
電話：三五一一〇二八
實價新台幣三二〇元
中華民國八十年十月初版

ISBN 957-547-080-X

歷代賢母事略目次

唐虞時代

1 棄的母親

棄是周朝的始祖。周朝有八百年的天下，是我國歷朝有天下最長久的一朝。有這麼長久的天下，是極不簡單的；沒有好的基礎，是不可能有這樣的好現象的。那好的基礎，就打在始祖棄的時候。而棄有這樣好，全得力於他有一個好母親——姜嫄。

棄的母親——姜嫄的好的情形，歷史上不但沒有詳細的記敍，連簡略的記敍，也記敍得「太」簡。史記周本紀裡面，沒有提她的好。漢書也一樣沒提好。列女傳提了好，却只是十二個字——清靜專一。好種稼穡。靜而有化。因爲這樣，所以我們這裡沒有法子詳細地講她的「賢」的故事。但是，她却是一個有八百年天下的朝代的始祖的母親。一定有賢德。詩經魯頌閟宮就說：「赫赫姜嫄，其德不回。（偉大的姜嫄，德行一直是好得不停。）」所以，我們要在這裡，作點近情近理的推論敍述。

姜嫄（或作「姜原」），是有邰氏的女兒。當堯的時候，有一天，她到野外去散步，看到泥地上有巨人的大脚印，感到非常有趣，就想去踩。想想却又不敢踩；因爲怕踩出意外。可是不踩又實在想踩。結果下決心去踩了。果然，踩的時候，內心就「砰！砰！」地跳；肚子裡馬上就有點懷孕的感覺。後來，果然肚子一天一天大，眞的懷起孕來了。她覺得：這樣懷來的孕，非常的怪異；心裡非常地不自在。於是，去求神拜天，能夠把這孕消掉，不要生出兒女來。可是，結果沒有如願，終於生出了一個男孩。她始終認爲：這男孩是個不吉祥的東西。於是把來丢棄在一條小巷子裡，看看：有不有人撿去撫養？可是，她去看過幾次，並沒有人撿去。却看到牛羊從那條巷子經過的時候，都曉得避開那男孩而不踩。她怕萬一會被牛羊踩死；於是又把那男孩，改丢到一個樹林裡面去。看看：有不有打柴的把來撿去？她又去看了幾次，却還是沒有人撿。却有好心人，用蓆子墊在地上，把男孩放好；上面用小被子蓋好。過一會，她又再去看，却被壞心人，把來丢在結了冰的溝裡面。當她找到的時候，却看到有一隻大鳥，張開厚厚的翅膀，在那裡把男孩覆蓋著。顯然是那大鳥知道：不要讓那男孩受寒。她看到這種情形，念頭馬上就轉過了：「這孩子一定命大福大。說不定長大之後，有大成就。」於是就把孩子收了回來。因爲有過這一段「丢棄」的過程；所以就給孩子取名「棄」。

當時的水災鬧的非常凶。正是堯叫禹的父親鯀去治水而治得沒有半點功效的時候。所以，要使農作物栽種得很好，是一件極不容易的事。姜嫄却在德性上具備兩個條件，正對栽種農作物很有幫助。第一，她聰明而專心。對於栽種方法上有困難、有問題的地方，都能夠一一解決。第二，她能夠吃苦耐勞。對於栽種實務上有煩勞、有艱苦的地方，都能夠一一克服。所以，在當時，能夠像她那樣種植得收成特好的，不但非常的少，而且可以說簡直沒有。她簡直成了一個女農作專家。棄做小孩的時候，受了她的影響，做什麼遊戲，也總離不開栽種桑、麻、穀、豆、……之類。到了少年的時候，就實際栽起那些東西來。樣樣都栽得非常的好。姜嫄一直影響他，教導他；所以，棄長大成人之後，對於農耕事務的愛好，簡直愛好到了家。而且栽出來的東西，沒有人栽的比得上他。這在有嚴重水災的當時，是一種難能可貴的本事。他母子繼續努力，更對辨別土地的性質，有著十分豐富的經驗：沒有人比得上。什麼土地適合種桑？什麼土地適合種麻？……姜嫄母子們，都辨別得非常清楚。尤其對於「什麼土地適合種稻穀？」，她們更是出奇地有心得。因此，全國佔絕大比率的種田的老百姓，遠遠近近，沒有一個不直接間接地學習她們。

帝堯聽到了這種情形，就任命棄做農官。到了帝舜即位之後，舜對棄說：「棄呀！老百姓以前常常吃不飽。自從你做農官之後，教老百姓播種百穀，老百姓就能夠吃飽而免於饑餓了。這都是你的功勞！」於是封棄在郃的地方，尊稱棄爲「后稷〔注〕」。另外還給棄一個「姬」姓。

從此以後，一直到武王伐紂而有天下，他家代代是做著這農官。只有少數幾代，因爲夏朝政治不好；沒有農官做；其餘大多數的代，都做得很好；很受百姓的愛戴。尤其是公劉和古公亶父的那兩代，更是做得非常出色；替武王革命成功，打下強固的基礎。而推源溯本，就要推溯到棄的母親——姜嫄。

〔注〕　后稷　君長、師長性質的農官。

2 契的母親

契是商朝的始祖。商朝的天下，雖然沒有周朝的長久；但是也有六百年的天下，也可以說是有相當長。可見：也是有好的基礎。這基礎，就打在契的時候。而契的好，又全得力於他有一個好母親——簡狄。

契的母親（簡狄）好的情形，也和棄的母親（姜嫄）一樣，歷史上只有出奇簡略的敍述。像列女傳，只有二十幾個字——性好人事之治。上知天文，樂於施惠。及契長而教之理順之序。……仁而有理。所以關於她的「賢」的故事，我們也只能按照一般情理，想像著來作推論論述。

簡狄是有娀氏的長女。當堯的時候，有一天，她和兩個妹妹一同到外面河裡去洗澡。不久，天空飛過一隻黑色的燕子，把嘴裡銜的一個小小的圓形東西，鬆嘴掉了下來。她們一看，是一個五彩的蛋，非常漂亮；於是都搶過去撿。簡狄動作快，就被她先撿到了。妹妹們都向她搶。她一時情急，就把小蛋拋進嘴裡。可是，不小心，一下子把那小東西呑到肚子裡去了。當時大家沒事；過後不久，簡狄却感到懷了孕。十個月之後，就生下了契。

簡狄生性有愛心，有耐心，所以對於「爲人處世」的問題，特別感到興趣。她自己的爲人處世和教導契爲人處世，固然不消說是非常的好；就是在家族、鄉黨之間，她也是時時處處發揮她的愛心，原諒人的錯過；時時處處發揮她的耐心，去促使別人改過遷善。契在這種母教環境裡，加上自己的聰明仁慈；所以，在童年、少年、青年時代，固然是個標準的好人；而在成年之後，更能夠把母親培育的愛心耐心，擴大及於整個社會。

大禹治水的時候，契是一個有力的助手，有著很大的功勞；所以治水完成之後，帝舜就任命契做司徒。帝舜對他說：「目前絕大多數的老百姓，不懂得五倫的做人方法：父親對兒女，不懂得：怎樣才是正當的嚴厲管教？母親對兒女，不懂得：怎樣才是正確的慈愛？哥哥對弟弟，也不曉得：怎樣去友愛？弟弟對哥哥，也不曉得：怎樣去恭敬？兒女對父母，也不曉得：怎樣去行孝道？你受了你母親的薰陶，具備了充分的教育能力。我現在任命你去做司徒，希望你能夠好好地去教導老百姓，實行五倫的正確做人方法。教導進行的原則，要寬大為懷，不要急躁操切。」然後把契封在商的地方。賜他姓子。

從此以後，一直到成湯伐桀而有天下，他家代代是做著這教育官。雖然國都遷了八次；但是大家都做得很好。這才打下了成湯革命成功的穩固基礎。而推原溯本的基礎，就要推溯到契的母親——簡狄。

夏朝

3 啓的母親

啓是夏朝開國的皇帝（禹）的兒子。是禹死後接禹的帝位而做皇帝的。我國「帝位傳給兒子」的制度，是從啓開始的。以前是禪讓的。堯不把帝位傳給自己的兒子丹朱，却傳給舜；舜又不把帝位傳給自己的兒子商均，却傳給禹。這就叫「禪讓」。不是「家天下」。啓才開始家天下。所以三字經上說：「夏傳子，家天下。」堯、舜爲什麼不把帝位傳給自己的兒子？因爲丹朱、商均不好；不夠資格、不夠聲望做皇帝。禹爲什麼可以把帝位傳給自己的兒子？因爲啓好；夠資格、夠聲望做皇帝。所以，雖然是家天下，却等於禪讓。（不等於禪讓的家天下，那是後來的事。）不信，我們可以看歷史。禹當初也是把帝位禪讓給益的。（初曾讓給皐陶，而皐陶早死。）而益的聲望，沒有啓高，諸侯不擁護；所以帝位才傳給啓。

啓，怎麽個好法？歷史上沒有說。不過由歷史上說的「大家擁護他而不擁護益；」的情形看來，啓一定的確是好，不容懷疑。啓的好，從哪裡培成的呢？據列女傳說：是由他的母親——塗山氏培成的。不過，塗山氏又怎麼個好法？又怎麼能夠培成那麼一個「無形取消人們盛讚的『禪讓』制度而奠定我國幾千年的『家天下』制度；」的啓的好？列女傳上却也沒有說；只抽象地說了八個字——獨明教訓。強於教誨。（當然指教訓、教誨啓。）所以，也像棄的母親（姜嫄）、契的母親（簡狄）一樣，啓的母親（塗山氏）的「賢」，我們也要用想像來推論敍述。不過，因爲有「禹結婚四天（列女傳說是啓出生之後四天。）就離開家裡出去外面治水，在外面十三年（孟子說是八年。）沒有回來；」的事實做基礎，那想像、推論，就比推想姜嫄、簡狄的賢，容易多了。

當時的水災，非常的嚴重。書經益稷和史記只說了「洪水滔天，浩浩懷山襄陵；（大水漫天地漲來，圍繞著高山，淹沒了丘陵；）」十個字，（堯典是十六個字。）我們就看得出那大水非常地嚇人。那災害實在是太大。禹的父親鯀，負責治水治了九年，沒有功效；被舜處死。禹受了這個大刺激，所以當舜命他接替他父親去治水的時候，他不敢答應，而推給契、后稷、皐陶。可是舜硬要他去，他不得不去；於是他就帶了益和后稷做助手而去了。父親的死，禹腦裡當然陰影不散；所以他不得不用出最大的精力、體力來對付。所以，一直在外面十三年，不敢回家。不但離家遠的時候不敢回家，就是離家近的時候，也不敢回家。有三次，還曾經經過他家的門口，實在想進去看一下，却還是不敢去。有一次，還聽得孩子「呱！呱！……」的哭聲。這種「不敢進去看一下；」的痛苦，是可想而知的。

這對禹來說，可以說是盡職負責；可是，對他的妻子（啓的母親——塗山氏）來說，就可以說是等於結婚四天就死了丈夫。在這種情形之下，我們很容易憑近情近理的想像，來推想出塗山氏的一些重要的「賢德」。

㈠雖然塗山氏和禹結婚四天，禹就出門去了，一直沒有回來地出門去了；可是，在這四天裡面，却懷上了孕。一個婦人懷孕時候的心情，影響胎裡面的孩子將來生出來的性格的好壞，是非常之大的。這就叫做「胎教」。現在科學證實：這說法是正確的。我國從上古以來，就有好多婦女懂得這個道理。塗山氏是不是懂得這個道理？現在不得而知。但是，由啓的後來有被諸侯認爲好而加以擁戴的性格看來，塗山氏最少是暗合了這個道理。而塗山氏會是暗合這個道理，就可見塗山氏經常有開朗而不閉塞狹隘的心胸和習性。這在一般婦女是做不到的。一般婦女，結婚四天，就沒有了丈夫，就不是暴燥，也會急躁；就不急躁，也最少不會心情開朗。

㈡孩子在三歲到十三歲這個階段裡面的觀念和習慣的好壞，決定他一生的禍福、成敗。塗山氏是不是在她的孩子的這個階段裡面，給了良好的言教、身教？現在不得而知。但是也由啓的後來有被諸侯認爲好而加以擁戴的性格看來；塗山氏一定在這方面，最少出了八九成的力。這也是一般的婦女，不容易做到的。一般婦女，結婚四天就沒有了丈夫。多心灰意冷！還打得起精神來關注孩子的教育嗎？

㈢一個母親，如果常常拿孩子當出氣筒，久而久之，孩子就會習性、觀念特別怪異。一般婦女，在「結婚四天就沒有丈夫；」的痛苦心情下，不拿孩子當出氣筒的，一定很少。由於啓的後來的成就，我們可以保證：塗山氏絕對不會有過一般婦女的這種行爲。

這只是舉三個例。其他，可以憑想像依理推測。

商　朝

4　季歷的母親

我們在第一篇的最末一段裡面說了：周朝的始祖（棄）所傳下的農官，在古公亶父一代，做得最好。古公亶父距離棄，照史記所說的計算，是第十三代。再往下推，古公亶父就是季歷的父親，文王的祖父，武王的曾祖父。

古公亶父當時的都城是在豳地。他在那裡做了好多對老百姓有恩德的事情，所以全國的老百姓都擁戴他。但是，不幸，鄰近的外族，常常來侵擾他。起初是要財物。古公亶父都給了他們。可是他們貪心不足，搞搞却又要土地和人民。這樣，引起了全國老百姓的公憤，都主張要和他們作戰。可是，作戰是要犧牲老百姓的生命的。古公亶父對這，很不忍心。於是，他就勸老百姓們、說：「你們老百姓擁戴我做君主，是爲了要我替你們謀幸福。現在外族要攻打我，是要我的土地和人民。人民屬於我和屬於他們，那有什麼分別呢？你們老百姓却要爲了我的能夠做君主而作戰。那就等於我殺了你們的父子却來做你們的君主。我能夠忍心這樣做嗎？」說過後，於是就和他自己親近的部屬，離開豳地，渡過漆水、沮水，爬過梁山，定居在岐山下面。但是，幽地整個地方的人，沒有一個不扶老携幼，全都跟到岐山下面來。不但幽地，就是別的地方，也有好多聽到古公亶父的仁慈作風的人們，都來岐山下面歸服。當然，古公亶父就在岐山下面，把國家搞得非常的好。老百姓都做詩歌，歌頌他的德業。詩經大雅和魯頌裡面，都有歌頌他的詩。

這些固然是古公亶父自己本身的德能；但是據列女傳等書的說法，古公亶父有一個賢內助，經常做他的顧問，也是一個最大的關係。

這個賢內助是誰呢？就是：太姜。

太姜是有台氏的女兒。古公亶父娶她之前，已經有兩個兒子——泰伯、仲雍；娶她之後，他又生了第三個兒子季歷。所以，她是季歷的生母，泰伯、仲雍的後母。

太姜是賢妻。上面已經說過。賢妻，照說，自然就是賢母。但是，歷史上對於她的「賢母」的「賢」，沒有記述。只列女傳和史記周本紀正義引列女傳，有「率導諸子，至於成童，靡有過失」」（教導各個兒子，一直到成童，沒有一點過失。）這麼出奇簡略的記述。不過，雖然只那麼十幾個字，那却就是賢母的「大」賢德。一個母親，能夠教導得孩子們從小到大沒有一點過失。那不是「大」賢德嗎？具體的事例，我們當然只能憑近情近理的想像去推想。下面一個例子，或許可以做推想的時候的一點參考：

季歷娶太任爲妻，（下一篇有說到。）生下了姬昌（就是「文王」。）生的時候，曾經出現一種聖王的祥瑞徵兆的現象。據史記周本紀正義引尚書帝命驗說：「秋季第三個月的甲子日，有一隻赤色的麻雀，銜了一張紅帖子，進到酆的地方，停止在姬昌家裡的大門上方。把帖子放下之後飛走了。姬昌家裡的人，把那紅帖子拿來打開一看，上面寫的是：『敬勝怠者吉，怠勝敬者滅。義勝欲者從，欲勝義者凶。凡事，不強則枉，不敬則不正。枉者廢滅，敬者萬世。以仁得之，以仁守之，其量百世。以不仁得之，以仁守之，其量十世。以不仁得之，不仁守之，不及其世。』」古公亶父看到了這個吉兆現象，就說：「我們這一族，應該有王者出現。我看，這恐怕就應在昌的頭上吧！」泰伯、仲雍聽了父親的那話，知道父親的意思，是要改變「立長」的制度而立季歷繼承他，以便將來傳位給姬昌。於是兩個人就跑到南方去，堅決地把君位讓給季歷。這是一個大犧牲，孔子都非常稱讚。泰伯他倆爲什麼有這種大量？這就要答在太姜的頭上了。

5 文王的母親

武王是文王的兒子。武王革命的成功，是因爲文王的時代，就已經是「三分天下有其二」。沒有這個基礎，武王的革命，是不見得會成功的。文王爲什麼能夠把國家搞得這麼好？原因當然不只一個。但是，有一個最基本的、最重大的、最有決定性的原因，却不能不說是「文王得力於一位好母親。」

文王的母親——太任，也就是季歷的妻子，是摯任氏的中女。她的賢德，自然是很多；不過，列女傳裡面，只說了兩點。說兩點，固然說得太少；但是，我們可以舉一反三地憑想像推想。兩點，是：

㈠太任懂得「胎教」的道理。她在懷孕文王的時候，非常注意胎教。胎教是一個什麼情形，列女傳的說太任的那篇裡面，說了一些。那不是迷信。那是科學。現代科學，也已經證實了「胎教」的說法。列女傳的那篇裡面說：婦女懷孕的時候，眼睛不能看不正當的東西，耳朶不能聽不正當的聲音，嘴裡不能說出不正當的話。又說：古時候，懂得胎教的道理的孕婦，在床上睡覺的時候，身子不睡得歪歪斜斜。坐的時候，也是端端正正的，不東倒西歪，搭手翹腳。站的時候，站得平平正正，不東倚西靠，左擺右搖。吃東西，不吃怪裡怪氣的味道的。烹調的時候，切割得歪歪斜斜的塊子或條子，在菜碗裡顯得亂七八糟；這種菜，就不去吃牠。吃的時候，桌、櫈如果沒有擺平，就不要去坐。夜間，在睡前，要聽些樂師唱的精警詩句，或講的道德故事。孕婦要這樣做了，生出來的兒子，才會五官端正，才能、品貌高人一等。尤其孕婦的心理反應，影響胎裡的孩子出生之後的性情非常的大：孕婦想了邪惡的事，出生後的孩子的性情，就一定邪惡；孕婦想了善良的事，出生後的孩子的性情，就一定善良。這絕對是事實，是科學，不是迷信。

㈡太任生文王的時候，生得很快。去上厠所小便的時候，一下子就生出來了。這好像不是賢德，實在却是。因爲，沒有開朗的心情，沒有勤勞的身手，十九是會遭難產的。

周朝

6 臧文仲的母親

臧文仲是魯國的大夫臧孫辰。雖然在魯國經歷莊公、閔公、僖公、文公四朝做大夫，一共做了五十年；可是，給人的印象，却不大好。孔子曾經幾次批評他不仁、不智。可見這個人，一定是腦筋糊裡糊塗而又私心重而又不大聽勸告。我們想，他的母親也一定常常會勸戒他，他也是不聽。列女傳裡面記述了他的母親對他的一次勸戒。大概從這次以後，才聽勸了。那記述是：

有一次，臧文仲要出使到齊國去。動身的時候，他的母親去送他，又勸他一些話，說：「你平常待人非常刻薄，不會給人家半點恩惠。利用人家替你做事，總是要榨盡人家的體力或精力。而且常常用威力，迫得人家不敢反抗。你這種行徑，我看，現在魯國是不容你了。所以，現在要派你去齊國，意思就是要趕走你，除掉你。照我的經驗，凡是一種害人的陰謀，都是想要使得對方不可能過安靜的生活而去過動盪的生活。所以他們就要你去出使外國。我看，他們要除掉你，就在這一次。你應該小心喏！魯國跟齊國，是非常鄰近的國家。魯國得寵的臣子，多數怨恨你。他們都私通齊國而有勾結。齊國的上卿高子和國子，這一下，一定會抓住這個機會，慫恿齊國的國君，來打魯國的主意；而你，他們就把你拘留起來。我看你，這一回，一定免不了這個災禍。你現在一定要在出國之前，在國內施布恩惠，聯絡一些人。到危急的時候，才好求人幫助解危。」臧文仲平時雖然不大聽母親的話；這一下，聽母親說得這麼有生命危險，却也就聽了。他於是趕緊去和很有權勢的三家（孟孫、叔孫、季孫）大夫聯絡。然後才去齊國。

到了齊國，果然不出他母親所料，被齊國拘禁起來。緊接著，齊國就出兵偷打魯國。臧文仲急了，想盡了方法，暗中搞到一個人，偷偷地替他送一封信去魯國的國君。因爲怕萬一被人抓住送信人而把信看到，他於是都用暗語寫。信上寫道：

斂小器，投諸瓵。食獵犬，組羊裘。琴之合，甚思之。臧我羊，羊有母。食我以銅魚。冠纓不足帶有餘。

魯國的國君和大夫們，看了這封信，都莫名其妙，一點也看不懂。這時候，有一個人說：「臧孫辰的母親，是世家子女，一定看得懂。」國君於是就去把臧文仲的母親召來，要她將信解說。臧文仲的母親看過信之後，馬上淚如雨下。並且說：「我的兒子，已經被拘禁在牢裡了。今番命不保了。」國君說：「這究竟是怎麼一回事呀！」催著要她趕快解說。她就一句一句地解說：

「斂小器，投諸瓵。」是說：已經把一個外國人，拘禁在牢裡了。「食獵犬，組羊裘。」是說：齊國已經準備好了戰備，快要攻打魯國了。「琴之合，甚思之。」是說：他很想念家中的妻子。「臧我羊，羊有母。」是說：要他妻子從此好好地供養母親。「食我以銅魚。」銅魚的花紋是交錯的。錯，是磋利鋸子。鋸子可以鋸木。是他已經被木枷枷著丟進牢裡去了。「冠纓不足帶有餘。」是說：他頭髮蓬亂沒有梳，肚子餓得沒有飯吃。

臧母解說完了，又大哭起來。

國君聽說齊國要來攻打，於是就趕緊調兵駐去邊境防衛。齊國看到有防衛，也就不攻打了，而把臧文仲放回到魯國去。

7 密國康公的母親

密國〔注〕康公的母親，姓隗。

周恭王帶人到涇水一帶去打獵。密國的康公也跟著去。在路上，有三個合夥私奔的漂亮女孩子，跑來投靠他們。密國康公，把她們收留了下來。康公的母親——隗氏，覺得這種收留很不妥；於是要康公把那三個女孩子帶去獻給恭王。康公却捨不得。隗氏就解釋一些道理給他聽。

隗氏說：「獸類有三隻在一起，就算是一個獸羣。人有三個在一起，就算是一個小團體。女人有三個在一起，更是一個顯著的小團體。如果三個女人都很漂亮，那就更會是出奇的顯著。所以，三個或三個以上，和一兩個，情形就大不相同。所以，帝王打獵，打少數幾隻是可以的，却決不破壞羣。

這就表示：羣，非常重要，不能任私意處理。其他，譬如：諸侯，一遇到衆人，就要在車上行式禮。帝王設婦官，不能是三個都是同一直系血親的人，一定要摻配幾個不同血統的人。現在三個女孩子的小團體，是多麼打眼呀！你一個小小國家的國君，怎麼能消受得了？根據剛才說的道理，就是帝王，都還怕消受不了；何況你這個小地位小德能之類的人？小德能而強受大美物，結果一定是會自取滅亡的。希望你能夠聽母親的話！」

但是，康公，終於還是不聽母親的話。果然，一年之後，恭王就滅掉了密國。表面上當然不會說是爲了這三個女孩，實在却很難叫人相信不是爲了這事。

〔注〕　密國　姬姓國。在現在的甘肅省美台縣西邊。

8　芮伯的母親

芮國〔注一〕芮伯的名字叫「萬」。（所以左傳一直叫「芮伯萬」。）是芮國伯爵的君主。他的母親叫「芮姜」。

芮伯身邊寵幸的人，男男女女，非常的多。這對於治理國家，是一個絕大的危機。如果長久下去，不加改善，一定預見得到，芮伯是要「五廟墮，身死人手，爲天下笑；」的。芮姜心想：與其這樣的下場，不如逼他不要做這芮伯。於是下定決心把芮伯驅逐出境。芮伯只好逃到魏國〔注二〕去。

〔注一〕芮國　姬姓國。在現在的陝西省朝邑鎭的南邊。

〔注二〕魏國　在現在的山西省芮城縣的東北方。

9 介之推的母親

晉文公是春秋五霸之一。他沒有卽位的時候，是逃亡在外國，一共逃亡了十九年。逃亡的原因，是他的父親晉獻公寵愛驪姬。聽信驪姬的破壞話而殺死太子申生。他看到哥哥被殺，怕自己會遭同樣的命運；於是就逃亡。在逃亡的期間，有好些人跟隨他。有忠心的，有不忠心的。介之推是裡面的一個，是忠心的一個。有一次，有一個不忠心的，把文公的財物拐跑，弄得他連飯都沒有吃，餓得連路都走不動；據說，介之推曾經割下自己大腿上的肉給他當飯吃。

最後，晉文公得到秦穆公的幫助，回國卽位。卽位後，就賞賜那些忠心地跟隨他在外逃亡的人。別的人都得到了賞賜，只有介之推沒有得到。因爲介之推沒有自動去向他提說，他搞搞就把介之推忘了。介之推不自動去提說，是因爲他覺得：自動去稱功，未免可恥。介之推說：「獻公的兒子有九個。現在只有國君一個人還在世。惠公、懷公沒有親信得力的助手，沒有能力把國家搞好，所以國內國外，都丟棄他們。上天如果不想滅絕晉國，晉國就自然(也天然)有一個君主。這個君主，不是獻公唯一存在的兒子(現在的國君)，却會是誰呢？所以，現在的國君的卽位，實在是上天要他卽位，是上天的安排，不是任何的人爲力量。而他們幾位，却以爲是他們自己的力量。這不是荒唐的想法嗎？偷竊別人的財物，我們還叫他小偷；何況去偷竊天的功勞，把來算做自己的功勞；那不更是大偷嗎？下面的人，把罪過當做合乎正義的事；上面的人，對荒唐加以賞賜。上上下下，互相自欺欺人。這種情形，叫人怎麼去和他們相處呢？」

他的母親聽到他說話有點牢騷味，就反激他、說：「你何不也去自動求賞呢？你現在這樣，就是氣死了，也沒有誰可以埋怨了。」

他却回答說：「明知道是罪過却還要去效尤，那罪過就更大了。況且我已經說出了埋怨的話，就不能再去吃他的飯了。」

這時他的母親，要試探他一下：究竟他是一時氣不平，還是眞的不貪罪過性的利祿？於是又向他、說：「那你就把你沒有得到賞賜的情形，去說給國君聽一下；讓他知道知道一下也好。怎麼樣？」

介之推說：「說表白話的目的，是在幫助自己爭取表面上的受人稱讚。我實際要去隱居了。我還要這個虛假的稱讚幹什麼呢？——那就是去求虛名了。」

他的母親聽到這裡，知道自己的兒子，是眞正的淸高；於是就向介之推鼓勵地說：「你眞的能這樣嗎？那太好了！那我就安心安意跟你去隱居好了。」

於是，母子二人就共同去隱居，一直到死。

晉文公後來知道這件事，內心非常感到後悔；可是，怎麼也找不到介之推了。於是就把緜上的田，作爲介之推的祭田。並且說：「用這個處理來使人們和自己共同記住我的過失，同時也用來表揚好人。」

10 莊姜的保母

莊姜是衛莊公的夫人。長得非常漂亮。詩經衛風碩人篇，就是描寫她的漂亮的：

碩人其頎，　　莊姜苗條秀麗，
衣錦褧衣。　　繡衣又加罩衣。
…………　　…………
手如柔荑，　　玉手柔嫩像荑，
膚如凝脂。　　皮膚雪白像脂。
領如蝤蠐，　　頸軟好像蝤蠐，
齒如瓠犀。　　牙齒白像瓠犀。

螓首蛾眉。　　螓樣額蛾樣眉。
巧笑倩兮，　　兩個酒窩含媚，
美目盼兮。　　秋波令人入迷。

嫁給衛莊公之後，起初，非常愛打扮。所謂「冶容誨淫」，品行就難免不端正。她的保母看到這種情形，爲防未然，於是經常懇切地用下面那類的話教訓她：「妳是齊侯的女兒，衛侯的妻子，齊國東宮得臣的妹妹，邢侯的小姨，譚公的連襟。妳的家，世世尊榮。妳該當做全國婦女們的楷模。儀容端整，是應該的；但是不可以過份修飾。衣著修飾得艷艷麗麗，轎子、車子裝修得華華貴貴，那都是『不貴德』的表示。是最要不得的。妳應該痛改前非。」

莊姜是個聰明靈敏的女子，聽了保母的教導，很快就改了。

11　叔向的母親

叔向是春秋時候晉國的羊舌肸。叔向是他的字。因爲「叔向」兩個字比「羊舌肸」三個字更出名；所以，我們這裡就用「叔向」。

他在晉國作官，最高做到上大夫兼太傅。是一個有學問、有品德的非常好的官。他的所以會這樣好，因素固然很多；但是最基本的一個因素，就是：得力於有一個好母親。

他的母親叫「叔姬」。叔姬究竟是怎樣的賢？史書上沒有詳細的記述。列女傳裡面輯述了幾件有關她的「賢妻」「賢母」的事。我們這裡引述一件「賢母」的事以見一斑：

叔向想娶申公巫臣氏和夏姬所生的女兒做妻子。夏姬是一個非常漂亮而又非常伶俐的女人。她的女兒完全得受了她的遺傳，也是非常漂亮而又非常伶俐。叔向的母親——叔姬，認爲：這種漂亮伶俐的遺傳，不是好現象。她自信她的親族的遺傳，是非常厚道的、非常好的遺傳。於是，就很不贊成叔向去娶夏姬的女兒，而要叔向去娶自己的親族。叔向大概捨不得夏姬的女兒的漂亮伶俐，於是就拖詞向母親、說：「母親的家族，固然是很厚道的。但是，母親和庶母們嫁來我們家之後，都是生育很少。這是我要引以爲鑑戒的事。」他的母親說：「引以爲鑑戒的，不在這點，而在品德。夏姬殺死了三個丈夫，一個國君，一個兒子；又滅亡了一個國家，使兩個卿逃亡。這樣的女人的遺傳，不是更要引以爲鑑戒嗎？我聽說：『非常美麗的東西，必然會帶來非常醜惡的結果。』夏姬那個女人，是鄭國穆公少妃姚子的女兒。是子貉的妹妹。子貉即位（鄭靈公）不久，就被殺死。因此，沒有後代。上天要他的妹妹代傳後代，就把美麗滙集在他妹妹的身上而遺傳地轉滙集在他妹妹的女兒身上。上天這作用，必然是利用她們的美麗，來大大地敗壞事情。從前，有仍氏生了一個女兒，頭髮烏黑濃密，發出來的光澤，可以照見人影。多麼美好！因此被稱爲『玄妻』（烏溜溜的妻子）。樂正后夔娶她做妻子，生下伯封。那伯封，心地像豬一樣，貪婪沒有個滿足，暴躁乖戾沒有個底止。人們都叫他『大豬』。有窮后羿滅了他。后夔因此斷絕了祭祀香煙。再看：夏（桀）、商（紂）、周（幽）三個朝代的被滅亡，太子申生的遭廢遭殺，哪一件不是由於美色爲害呢？你爲什麽一定要娶這種害人的美女呢？這不是我亂說，這中間有一定的道理。那就是：有了特別美麗的女人，就必然會使人改變遠大高尙的志向。如果不是特別具有德操持守的人，是很難通過這關；而結果，必然是遭遇禍害的。」叔向聽母親說得非常有理，心裡非常害怕，完全放棄了娶夏姬的女兒的念頭。可是，晉平公却硬要他娶。結果，生下了楊食我。楊食我剛一生下，叔向的嫂嫂就跑去告訴婆婆（叔姬）、說：「弟婦生了個男孩。」叔姬就走過去想看看。走到廳上，還沒到房裡，就聽到孩子的哭聲。叔姬馬上就往回走。邊走邊向叔向的嫂嫂說：「這是豺狼的叫聲。豺狼的野性，你看多厲害！將後不是這個人，再沒有第二個人會毀掉羊舌氏的家族。」

後來果然和祁勝作亂，終於被殺而斷絕了羊舌氏的香煙。

12 公父文伯的母親

公父文伯名歜，春秋魯國桓公的兒子——季友的後代。他家各代都是做魯國的卿或大夫。公父文伯最後也在魯哀公的時候做大夫。他的母親——敬姜，是歷史上一位有名的賢母。——是季康子的堂叔母。（季康子，是論語裡所記：向孔子問「使民」的那位季康子。在魯哀公的時候，做魯國的正卿）。

季康子非常尊重這位叔母。

公父文伯少年的時候，去外面求學。有時候假期會回家。每次回家的時候，都會帶朋友回家。敬姜大都看不到那些朋友的行動。有一次，敬姜却在一個偶然的場合裡，看到公父文伯所帶回的朋友的行動。那位朋友對公父文伯的態度，簡直不像是朋友。他誠惶誠恐地替公父文伯掛好劍，卑恭卑敬地替公父文伯放好鞋子，走開一下的時候，不敢背向公父文伯走，都是用後退的步子走，……。一切的一切，態度都是那麼卑下。完全是兒子侍奉父親或弟弟侍奉哥哥的態度。而公父文伯自己，却是一股傲傲然的神氣，自以爲了不得。

敬姜看到這種情景，心裡非常不好過。於是找一個適當的機會，找公父文伯來訓誡。她說：「從前，周武王罷朝回去，走到門口的時候，襪帶子散脫了。他看一下左右的人，都是一些高尙的人，沒有哪個是替人綁襪帶子的；於是自己動手把它綁好。武王有這種器度，所以能夠成就八百年的王道天下。五覇之一的齊桓公，有經常陪坐的朋友三個人，專任諫職的人五個人，每天說出他的錯過的人，最少有三十個人。所以他能成覇業。周公，吃一頓飯，要好多次吐回飯到碗裡，停止吃飯而去接見來訪的客人。洗一下頭，也要好多次握住頭髮慢點洗而去接見來訪的客人。帶禮物去偏僻的鄉下訪問賢人，最少訪問過七十多個人。所以周公能夠幫助周朝發展得非常盛大。他們那兩位聖人一位賢人，是多麼偉大的人物呀！却能夠這樣謙恭卑下地待人。可見他們所交的朋友，都是德能超過自己的。所以他們的人格一天天充實，事業一天天發展；都在不知不覺中進行。現在你這麼年輕。要學的事，太多太多。

而你所交的朋友，却都是些只會卑恭卑敬侍奉你的。這樣，你的人格、事業，怎麼會有進境呢？」公父文伯聽了母親這番訓誡，非常慚愧；於是馬上就痛改前非。自後就都交些可以做自己的老師的人做朋友，或者是經常敬謹侍奉年高德卲的人。敬姜看到這種情形，就很高興地說：「你這才可以算是成了一個有模樣的人。」

有一次，公父文伯請南宮敬叔喝酒。南宮敬叔是魯國大夫孟僖子的兒子，魯國大夫孟懿子的弟弟，（論語裡面有「孟懿子問『孝』。」）自己也是魯國的大夫。所以是貴客。依當時的禮俗，請貴客喝酒，最少要另外請一位貴客作陪。公父文伯就請也是魯國大夫的露睹父作陪客。上菜的時候，上一隻鼈，非常的小。這在現在說來，就不是使客人生氣的因素。因爲，現在所重的是精神而不是物質。「禮物雖輕情意重」；只要請客的情意重，鼈大鼈小有什麼關係？但是，當時的禮俗，這樣以小鼈請貴客，對貴客就是一種大不禮貌。南宮敬叔比較忍耐，就沒有說什麼。露睹父比較剛直，就非常生氣。當主人敬菜的時候，他就很不客氣地說：「你要敬我吃鼈嗎？請你換一個大鼈再說。」同時，說完之後，就氣憤地離席走了。

敬姜事後聽到了這種情形，非常地難過。因此責罵公父文伯，說：「我常常聽得先翁說：『祭祀的時候，要對神主有豐盛的祭品，才是恭敬。請貴客飲宴的時候，要對貴客有豐盛的食品，才是禮貌。』買一隻大鼈，會多花多少錢呢？却這樣搞得客人生氣退席。你眞是太窩囊了呀！」說完，就把公父文伯趕出家門。公父文伯在外面五天不敢回去。後來還是一位大夫去向敬姜說了情，才讓他回去。

公父文伯做大夫的時候，非常年輕。有一天退朝回家之後，去向母親請安。敬姜正在績麻。公父文伯說：「像我們這樣的官家，做老太太的還要做績麻的粗活。這恐怕會引起正卿季康子的憤怒責備；說我不能夠奉養母親，還要讓母親親自做粗活持家。」敬姜聽了，非常不以爲然；因此歎氣說：「我看魯國是快要亡國了吧！叫小孩去做官，却不教他先歷練些做人做事的經驗。這怎麼行呢？」於是，她叫公父文伯坐下來，聽她的有關做人做事的道理的訓話。

她說：「以前聖明的帝王治理百姓，是選擇不肥沃的土地，讓他們去耕種。目的是在使百姓們勞苦慣了，他們才有能耐爲國家建設而出力。因爲百姓要勞苦了，才會想到生活的艱難。會想到生活的艱難，才會產生向上向善的念頭。如果生活安逸，就自然會放縱。放縱了，就自然會丢了善心。丢了善心，相對地，惡心就產生了。土地肥沃地區的百姓不成材，問題多，就是因爲安逸放縱的緣故；土地不肥沃地區的百姓，沒有一個不是行爲正正當當，就是因爲勞動的緣故。

「所以，天子在春分的早上，穿上五采的大禮服，去祭太陽。和三公九卿，大家去研究分析土地的性質功用。上下午，考察和督促百官辦政務。師尹、衆士、州牧、國相，都宣布民事，依次推行。秋分的傍晚，穿上三采的禮服，去祭月亮。和太史、司載，大家去研究分析天文的情況和變化。晚上還要監督宮裡面各嬪妃，使她們能夠把祭品、祭服，都準備得非常停當。這從早到晚的一切做好了，然後他自己才能安睡。

「諸侯在早上，要做天子命令的事情。上下午考察自己國家的事務。傍晚，省察一切的法規。晚上，做戒百官，使他們不敢怠忽放蕩。這從早到晚的一切做好了，然後他自己才能安睡。

「卿大夫，早上要考察他們自己的職務。上下午要辦理一般政事。傍晚，整理一天所辦的政事。晚上，還要處理家務。這從早到晚的一切做好了，然後才能安睡。

「士，早上準備學業。上下午聽受講授或學習技能。傍晚，再複習。晚上反省自己的過失。覺得自己這一天，在言行上，沒有「於心不安」的現象，然後才安睡。

「至於老百姓們：天亮了，就開始工作；天黑了，就開始休息。沒有一天懈怠。

「至於女性方面：皇后要親自織製帽子上懸掛玉質的瑱（充耳）的黑色帶子。公侯的夫人，再要加做帽帶子和帽子前後掛著的布片。卿的嫡妻，要做大帶。大夫的妻子，要做祭服。上士的妻子，還要加做朝服。下士以下的各人的妻子，都要做丈夫的衣服。

「有關方面，在每年社祭以後，就頒布全國各人該做的農桑之事。冬祭的時侯，全國各人就要獻上農桑之事的成果。男男女女都要努力工作。有了過失，就要受罰。

「上面所說的一切，是古代的制度。

「有才學的人勞心，沒有才學的人勞力。這是前代聖明帝王的教訓。全國上上下下，有誰敢放蕩而不努力的呢？

「現在我是個寡婦，你的官位又不高。就是早早晚晚，努力做事，都還怕要荒棄祖宗創造的一番事業。何況有怠惰，又怎樣能夠避免罪咎呢？

「我原指望你，早早晚晚不停地警告我，說『千萬不可以荒棄祖宗創造的一番事業。』現在你卻反而說『我為什麼自己甘願勤勞而不享受安逸？』照你這樣的想法去維持你現在的官職，我恐怕你的爸爸，很快就要斷絕被祭祀的香煙了。」

孔子聽到了敬姜的這番話，就對學生們說：「你們大家記著！像季氏這樣的婦人，眞是一位謹儉而不放縱的人。」

13 叔文的母親

春秋時候，有個叫「叔文」的，在莒國做宰相。做了三年，然後回家。他在做宰相的時候，賺了好多錢。光是車馬，就有四匹馬拉的一輛車，一共有一千輛。那是多麼豪富啊！但是，當他回到家裡的時候，他母親還在績麻。叔文看到了，很不是味；因此，對母親說：「我在莒國做宰相，賺了那麼多的錢；您老人家卻還要績麻。那，我這三年做宰相賺錢，不是白賺了嗎？那一千輛車子，那有什麼用呢？我看，倒不如丟了吧！」他母親笑笑說：「丟了？丟了也好嘛！有那麼多的財富，有什麼用呢？人要勤勞才有用，才是眞正的、永久不消滅的財富。我常常聽到有道德的人對我說：『一個讀書人，如果不喜歡學習詩書，不喜歡練習射箭、駕車；那，他的心境，就必定完全變得放蕩。然後，嫖、賭、逍遙，樣樣都會幹。不是智識分子的普通一般人，如果不喜歡做勤勞的農桑之類的事情；那，他就必定會流於好吃懶做，游手好閒；終於是去偷去搶。至於婦人家嘛，如果不喜歡紡紗、織布、績麻，那，她就必定有淫蕩的行爲。俗話說：『男，好吃懶做，就做賊；女，好吃懶做，就偷人（注）。』這話，一點都不錯。所以說：『喜歡勤勞而去充實自己的智能，這才是眞正的幸福。一隻鳥，如果沒有了翅膀，怎麼去飛呢？』

「有道德的人的話，眞正是金科玉律，顚撲不破的啊！你應該三思，痛改不正確的觀念。」

〔注〕 偷人 「偷人」是土話。也叫「偸漢子」。是「女人和人私通」的意思。

14　佛肸的母親

佛肸是趙簡子（趙鞅）的采邑（中牟邑）的邑宰（注）。當時趙簡子要攻打范氏和中行氏。佛肸要幫助范氏和中行氏，於是就以中牟爲根據地來反叛趙簡子。

當時的法律規定：凡是有這種反叛行爲的，除本人判死刑外，全家都要被斬和被抄家。佛肸的母親被抓進監獄裡將要被斬的時候，她對獄官說：「我眞死得冤枉！死得眞不服氣！」獄官說：「爲什麼呢？」她說：「我要見得到主君我才會說；否則，我就這樣死了算了。」獄官於是把她的話報告趙襄子（趙簡子的兒子。當時他是主君。）趙襄子就叫人去問她「爲什麼？」但是，她，還是那句老話：「見得到主君，我就說；見不到主君，我就冤枉死了算了。」趙襄子聽到這話，就讓她去見。她見到趙襄子之後，趙襄子問她：「你說你死得冤枉，死得不服氣。怎麼冤枉？怎麼不服氣？你說給我聽聽看！」她說：「好。但是，你先說說『我爲什麼該死？』的理由看。」趙襄子說：「你爲什麼該死？你的兒子造反，你怎麼不該死？」她說：「我的兒子造反，跟我有什麼關係？我怎麼該死？」趙襄子說：「怎麼沒有關係？你沒有把兒子教育好，他就會造反呀！你怎麼不該死呢？」她說：「我以爲你們用別什麼理由來殺我，原來還是用這個理由來殺我。這，你們就完全沒有理由了。」趙襄子說：「爲什麼呢？」她說：「沒有教好，是你們沒有教好；我早就把我的兒子教好了。我常常聽得到一種已經公認了很對的說法：『兒子在少年的時候，不努力進德修業，那就是母親沒有負到教育的責任，那就是母親的罪過。長大了之後，如果不聽從長輩的善良指導，那就是父親沒有盡到教育的責任，那就是父親的罪過。』現在我的兒子的情形，鄉里的人，都可以作證：他在少年的時候，是非常努力進德修業的。長大了之後，也是非常聽從長輩的善良的指導的。我把兒子教得這樣，我有什麼責任呢？我又聽說過：『兒子在幼少的時候，是母親的兒子。當他長大了而進入了社會之後，那就是家人的朋友了。』這話如果說得對，那，我的兒子進到了社會，在替國家做事，那，他，就該是你的兒子，而不是我的兒子了。他現在造反，那就是因爲你沒有把他教好了。要連坐地殺，就該要殺你了。你說我這話，是不是強詞奪理呢？」

趙襄子聽得呆了，一時說不出話來。過了一下子，說：「你說得對。佛肸的造反，全是我的罪。」說後，就叫獄官把佛肸的母親釋放了。

〔注〕 邑宰 「邑」，相當於現在的縣；「邑宰」，就相當於現在的縣長。

附「說明」：

本書其他各篇所講的賢母，「是不是賢母？」都有定論。都一定是賢母。這篇，却有「見仁見智」的看法，沒有定論。本書本來也不想要這篇；但是，有兩個原因，却還是要了。

兩個原因，是：

(1)佛肸的母親引說了兩句話，對家庭教育很有益。兩句話，是：「兒子在少年的時候，不努力進德修業，那就是母親沒有負到教育的責任，那就是母親的罪過。長大了之後，如果不聽從長輩的善良指導，那就是父親沒有盡到教育的責任，那就是父親的罪過。」佛肸的母親，不但引說了這兩句話，而且做到了這兩句話。

(2)論語陽貨裡面，有「佛肸反叛的時候去召孔子，孔子想去；」的記載。這記載雖然不一定正確；但是，佛肸的反叛，想也多少有可被原諒的地方。而他的母親，說起來，也的確盡到了應盡的責任。

15 魯國九個兒子的母親

戰國時候，魯國有一家，有一位有九個兒子的母親。在臘八節日那一天，拜拜完畢之後，就叫攏九個兒子到面前說：「婦女該遵守的世俗規矩，是：沒有重大的事情，不能離開夫家。但是，我的娘家，都是些年輕人和小孩，重要的節日，都不曉得怎麼去拜拜。現在快過年了，有好多年節禮俗的事，我要去向他們說一下。我要你們答應我，讓我去一下。」九個兒子大家都向母親磕頭答應。

然後，那位母親又叫攏九個媳婦到面前來說：「做一個婦女，要懂得三從的規矩，不能夠任自己的個性一意孤行。少女期間，在父母身邊，就要聽從父母的教訓。長大出嫁之後，就要聽從丈夫的指導。年紀老了，丈夫過世了，就要接受兒子的意見。現在各個兒子都答應了我可以回去娘家一趟。我爲了女人出外有個安全的心理保障，我就帶同小兒子一起去。你們各個媳婦在家，都要行動謹愼，小心照顧門戶。我很快就會回來。天黑不久，就可以到達家裡。」說完，就帶小兒子去了。

在娘家辦完事之後，她就回來。可是因爲動身動得早，走路又走得快，走到了村口，時間却還早，還沒有到天黑。她不得已，只好帶著小兒子在村口等。等到天黑了一會之後才回去。

她的那行動，被一位站在高臺上遠望的大夫看到。那位大夫看了覺得奇怪：「怎麼快要到了家裡了，却儘站在村口等著而不進家裡去呢？」那大夫，想想，就叫人去暗中觀察她的家。結果看到她家內部，舖排得井井有條。一切關涉到禮儀的設置，都安置得非常合理。那人回去把這些實情報告給大夫聽。大夫聽了，非常高興，却更奇怪。於是叫人去把她召了來。召來之後，問她說：「那天，我看到你從北邊走來，走到村口就停止。等到天黑了一會，你才回家。這是為什麼呢？我找不到答案。所以我要找你來問一聲。」她聽了之後，就把那天回去娘家的情形，從頭到尾，說了一遍。至於「為什麼村口等？」，她說：「我去娘家之前，向兒媳們說了：『回到家裡的時間，是在天黑不久。』臘八節日，我不在家，兒媳們會聚合起來，比較沒有拘束地喝點酒，那是人情之常。如果我突然之間，提早回去；他們沒有想到我會那麼早回去，就一定會驚怕得大大掃喝酒的興。而我也會在他們的腦子裡面，留一個『長輩怎麼說話沒有信用？』的惡劣印象。兩下都不好。所以我就寧願站在村口等天黑。」

那位大夫聽了，感到：國家有這種好母親，眞是國家的幸福。於是，去向穆公報告。穆公就賜給那位母親一個尊號，叫「母師」。然後叫她去謁見夫人。夫人和官裡的各嬪妃，都很敬佩那位母親，都立志效法她。

16 孟子的母親

孟子的母親，姓仉〔注〕。孟子小時候就死了父親，完全靠母親給他教養。

孟子的家，是租的在一些墳墓旁邊的一個房子。孟子每天和鄰居的小孩子玩耍的時候，總是做一些掘墓坑、埋人……之類的遊戲。孟子的母親看到了，就說：「這不是我的孩子該住的地方。」於是，搬家。搬住在一個市場的旁邊。這樣，孟子和鄰居小孩子玩耍的時候，就做一些兜攬生意、誇口叫賣貨品……之類的遊戲。孟子的母親看到了，又說：「這又不是我的孩子該住的地方。」於是，又搬家。搬住在一個學校的旁邊。這樣，孟子和鄰居小孩玩耍的時候，就做一些陳設祭器跪拜祖宗、作揖打拱招待客人……之類的遊戲。孟子的母親看到了，就說：「這就好了。這裡才是我的孩子該住的地方了。」於是就長久地居住下去。

孟子小時候在學校裡讀書，不大用功。雖然不逃學，但是課業的進度很慢。（以前讀書，不像現在的班級制度；各人的課業進度，是依各人的接受程度而定的。各人可以不同。）孟子不是不聰明；進度慢，不是他接受不了，而是他懶惰不願讀。這樣，課業一搞就幾天沒有進度；這就等於是把課業停頓下來了。孟子的母親，今天問孟子：讀到哪裡了？是在某一章。明天問他：讀到哪裡了？又是在這一章。後天問，仍舊是在這一章。孟子的母親，雖然很生氣；但是她曉得，直接的責罵責打，是沒有用的。（如果有用，老師早就直接用責罵責打逼他增加進度了。）於是她就想到：用「割斷織布機上正織著的布」的事，來間接刺激孟子。

那天，孟子讀書回來。孟子的母親又同樣地問他：書讀到了哪裡了？他又答的在原處。孟子的母親，不聲不響地，用刀把那織著的布割斷。然後去做別的事。從此，也不再織布了。孟子第二天，第三天、第四天……一直好多天，回來都沒有看到母親織布。肚子餓了，向母親要飯吃。母親說：「哪裡有飯可以吃？」孟子說：「媽媽，怎麼不煮飯呢？」他的母親說：「哪裡有米煮？」孟子說：「怎麼不去買米呢？」他母親說：「哪裡有錢買？」孟子說：「怎麼沒有錢呢？」他母親說：「我要織了布，才賺得錢到。現在好多天停止了沒有織。誰來把錢給我們？」孟子的母親，除了說這些，沒有說半句別什麼。只是臉色顯得非常的凝重。孟子是個極聰明的孩子，就由「織布停頓，賺不到錢；」聯想到：讀書停頓，一定有大害處。從那一天起，孟子就發憤用功讀書了。

孟子結了婚之後，有一天，從外面回家。不聲不響地一直走到寢室裡面去。那時候，他的太太大概是做家事做勞累了，很熱很疲倦，就打著赤膊，靠在床頭，沒精打采地休息。孟子推開房門，看到那種情形，非常地不高興。（以前的人的心理，是：上床夫妻，下床君子。和現在的人的心理是有點不同的。）於是回頭就跑開。他的太太一看到孟子這種情形，就知道是：孟子在生氣她不守婦道。但是她覺得她這樣，並不是不守婦道。於是也很生氣。就向婆婆（孟子的母親）說：「婆婆！我要回娘家去了。我不能在婆婆家裡待了。」婆婆問她：「為什麼？」她就把情由說了一遍。然後說：「夫妻之間講禮節，怎麼會講到睡覺的房間裡來呢？」她的婆婆也認為他這話說得對，於是就先安慰挽留她。然後，再去找來孟子，訓斥一頓。

孟子被找來了。孟子的母親訓斥說：「你讀過講禮儀的書。書上怎麼說的？書上是說：走進大門之前，要先向裡面問一聲：『裡面有人嗎？』這是表示敬重別人。將要走到廳上的時候，要故意發出一點什麼聲音。（以前多半是發咳嗽聲。——這當然是不好的。腳步重一點也可以嘛。）這是用來提醒屋裡的人，說是：現在有人來了！將要走進臥室裡面去，眼睛要向下看，不要向前向左右看。這是因爲怕看到臥室裡面的人，有什麼不注意的過失。你讀過禮書。禮書裡面有不有這樣說呢？你自己不懂禮，反而責備別人不懂禮。你講的這個禮，眞是差得太多了。」

孟子聽了，非常慚愧；就馬上向母親謝罪，也趕快去說好話慰留他的太太。

孟子出到社會做事之後，有一個時候，住在齊國很不遂意，心裡非常憂愁。孟子的母親，那個時候已經老了。她看到孟子非常憂愁，就問孟子、說：「我看你天天一臉的憂愁。這是爲什麼呢？」孟子因爲這事和母親有關，就不便說；就只好打一個白謊說：「沒有。我沒有憂愁。」母親聽了，也就算了。但是，過了幾天，又遇見孟子一個人偷偷地在那裡扶著一枝柱子歎氣。孟子的母親就又問道：「前幾天問你：有什麼憂愁？你說沒有。現在你又扶著柱子歎氣。沒有憂愁，你又歎什麼氣呢？」這時候，孟子不得已才說：「一個有學問有道德的人，有多大的才能就做多大的官，有多大的功勞就受多大的賞。不會去強求得官得祿的。在上位的人，說得他懂得，就跟他說；不懂，就算了。懂得了會任用就接受任用，不任用，也就算了。現在我在齊國，跟齊王講行仁政的道理講得他聽不入耳。我只有離開齊國到別國去。但是，母親您，年紀老了，實在受不了這種奔波的苦。所以我心裡非常憂愁。」他的母親說：「哦，原來你還是爲了我。那，一點都不必。我們婦人，能夠三從四德，才是有禮的高貴婦人。你如果爲了我而不能離開齊國，那就是要我違禮了。你不離開齊國是違義，而我又違禮；在這場合，爲什麼可以很順利達成『你行你的義，我行我的禮；』却又不去達成呢？」

〔注〕仉，音ㄓㄤˇ。

17 魯國的母師

戰國時候，魯國另外有一位叫「春姜」的母師，也是一位非常有賢德的母親。她的女兒，稟受她的遺傳，照說，性格是不會差的。可是，她那位女兒，個性比較剛強高傲；所以嫁在夫家，也許是夫家的那些人，的確是免不了有叫人看不慣的行動；因此，比較年輕氣盛的她那女兒，就在夫家老不能適應。被夫家趕出門，一共被趕了三次。罪名都是：她看不起丈夫和夫家的一些人。

當第一次被趕回家的時候，春姜就教訓她好多話。她暫時答應做得到，回去夫家之後，又做不到，又故態復萌。春姜教訓她的話，重要的，是：引伸五倫的關係，到夫妻之間。那些話，是：一個有德性的婦人在夫家，有五個和五倫相仿的行爲，必須切實做到：第一，早上，一早就要起來，趕快梳洗好了，就去向翁姑請安。這就好像君臣的關係。第二，好好做好炊膳的事務，用好飯菜去敬奉翁姑。這就好像父子的關係。第三，要出到哪裡去，先告訴丈夫，並且要說定什麼時候可以回來。這就好像兄弟的關係。第四，向家人講什麼，一定要誠實或守信用。這就好像朋友的關係。第五，日常生活上的對丈夫和順，床第〔注〕之間的對丈夫親密，這就是夫妻的關係。

第一次的一些話，第二次也會重複說。可是她的那女兒，總是不聽。——不，不是不聽，是：總是聽了之後做不到。最後，第三次又被趕回來。春姜禁不住非常生氣，用板子打了她最少一百下。然後留在家裡，留了三年。三年之內，春姜不知教了她多少做人做事謙和忍讓的道理。終於是把他教好了。後來再嫁給別家，前後判若兩人。

〔注〕第 音ㄗˇ。不是「第」字。

附「評論」：

宋朝司馬光的評論

原文

今之爲母者，女未嫁，不能誨也。旣嫁，爲之援；使挾己以陵其夫家。及見棄逐，則與其夫家門訟。終不自責其女之不令也。如母師（春姜）者，豈非賢母乎？

意譯

現在做母親的，在女兒出嫁之前，不會教他「在夫家要和順忍讓」的一些道理。嫁了之後，出了「女兒不適應夫家」的問題，就全站在女兒的一邊，幫女兒說話。這樣，女兒當然就驕氣更厲害，就更不能適應夫家。造到「女兒要被夫家趕走」的地步的時候，就幫同女兒和夫家打官司。始終不會反省，是自己的女兒不好。像春姜這樣的母親，眞是難得的賢母。

按語

這種情形，不但宋朝是這樣，現在也是這樣。

不過，當然是就多數情形說；不是百分之百是這樣。

18 王孫賈的母親

王孫賈是戰國時候齊國的大夫。（不是論語裡面說的那個王孫賈。）他十五歲的時候，在齊國閔王那裡做侍衛的官。那時候，齊國出禍亂。有一個來投靠齊國而被閔王重用的楚國軍官叫「淖齒」的，把閔王殺了。全國沒有一個人去討伐淖齒。王孫賈也不例外。王孫賈的母親，看到這種情形，非常氣憤。於是就責罵王孫賈、說：「你早上出去之後，只要晚上回來稍晚一點，我就靠在大門邊盼望你。你有時候晚上要出去，却到很晚很晚也不見你回來，我就走去村口站在那裡盼望你。現在你侍衛君王。君王不見了，你却好像沒有這回事一樣。你這是什麼心肝呀！你還有臉皮回到家裡來？」

王孫賈受了母親這頓責罵，非常慚愧，也非常覺悟。於是馬上就去市場上，號召老百姓、說：「現在淖齒禍亂齊國，殺死君王。你們有誰願意同我去誅殺淖齒的，都把右手臂露出來，站在一邊。」

說完，露右手臂的人，一共有四百多人。於是共同去把淖齒殺死。

19 田稷的母親

田稷在齊國做宰相的時候，收受部下的賄賂金子兩千多兩。他把那些金子帶回家去交給他母親。輪在世俗「般的母親，自然就會收了下來。可是，田稷的母親，却與衆不同。她起先是懷疑金子的來源，知道了是賄賂之後，就大爲震怒。

起先，田稷把那麼多金子交給她，她非常懷疑。她說：「你做了三年宰相，從來沒有見過你拿這麼多金子回家。因爲你得受公家的俸祿，不可能有那麼多。現在有那麼多，你一定是收受了人家的賄賂。你到底是不是收受了賄賂呢？」田稷起先還支支吾吾。最後被逼不過，就承認是受賄。

他的母親聽了，非常生氣，馬上訓斥他、說：「我聽說：古今的讀書人，品德都是非常高尙的。對於錢財，非常廉潔；不義之財，絲毫不會苟取。你是一個讀書人。同時你官位做到宰相，地位非常崇高。國家也給了你非常豐厚的待遇。你應該保持你崇高的人格。現在你却收受人家的賄賂。這不但是你個人的恥辱，也是我們家門的恥辱。你這種人，不是我的兒子。你以後最好不要回家了。我以後再也不願意看到你這種兒子。」

田稷受了他母親這番訓斥，心裡非常慚愧和後悔。於是拿了那些金子，跑去還給原賄賂人。並且將實情報告齊宣王。並且自己請求處罰。

齊宣王聽了，大大稱讚田稷的母親的廉潔而深明大義。也就赦免了田稷貪汚的罪。

20　齊國的義母

齊國宣王的時候，有一位繼母，是一個獨子的繼母。後來繼母自己也生了一個兒子。有一年的一天，兩兄弟在外面玩，碰到一個蠻不講理的不良少年，儘欺負那弟弟。哥哥看得火了，就三拳兩脚失手把那不良少年打死了。那糟糕！那怎麽辦呢？兩兄弟嚇得呆若木雞地站在那兒。一會兒，官廳的人來了。知道是他們把人打死的。就問：「是誰打死的？」哥哥很老實地答應：「是我。」弟弟心想：「哥哥是爲了我而打死那人的。怎麽能讓哥哥去抵命呢？」於是也就搶著說：「不是我哥哥打死的。是我打死的。」兩兄弟在那裡爭說是自己打死的，爭了一會。

官廳的人，把他們兩兄弟都帶了回官廳去。鬧了好些時候，還是審問不出：究竟是誰打死的？不得已，只好去報告宰相。宰相也決不了，就報告宣王。宣王說：「這兩兄弟倒有點義氣。但是，如果兩個都赦免，就未免放縱有罪的人。可是，假如說：兩個都處死嘛，却又是誅殺無辜。那怎麽辦呢？」宣王想了一回，說：「這樣好了。他們的母親，一定知道這兩兄弟，誰的性格壞，誰的日常品行壞。去把他們的母親叫來，讓他們的母親去決定『該殺誰？』好了。」

宰相於是馬上就去把他們的母親叫來。宰相對那母親、說：「現在你的兒子打死了人。究竟是誰打死的？一直審問不出來。君王很仁慈，不忍心殺兩個；所以叫你來問。你曉得你的兒子誰比較壞。由你說該殺誰好了。」那母親聽了，毫不猶豫地答覆說：「殺小的。」可是，說過之後，哭得非常傷心。

宰相聽了，覺得很奇怪。心想：「天下的母親，多半是疼愛小兒子。而他剛才說過後又哭得那麼傷心。」想想，實在不解。因此就問那母親、說：「你爲什麼說殺小的呢？」那母親說：「小的是我自己的兒子。大的是我丈夫前妻的兒子。我是他的繼母。我現在也不曉得：究竟他們是誰把人打死的。但是，我只有說是我的兒子打死的。第一，他的爸爸（我的丈夫）死的時候，交代我要好好照顧那孩子。問我：『做得到做不到？』我已經答應了『做得到。』現在如果讓那孩子去被處死，我怎麼對得起他的爸爸？怎麼對得起我的丈夫？第二，站在不自私的立場，我也只能說是我的兒子該受處罰。如果我『背信』『自私』，我有兒子活著，也沒有意思。所以我雖然疼兒子重要，我在世上無愧地做人更重要。」說完，又哭得傷心傷意，眼淚像下雨樣地掉落。

宰相把情形報告宣王。宣王嘉許那母親的義氣，於是把兩個兒子都赦免了。並且賜給那母親一個尊號，叫「義母」。

21 子發的母親

子發，姓什麽？不可考。名叫舍。子發是字。他是戰國時候楚國的令尹。楚宣王的時候，他帶兵去攻打秦國。打了一個時期，軍糧吃完了，沒有繼續運糧來。軍士們餓得要命。子發於是就派使者去向宣王催促趕快補給軍糧。使者回到楚國，順便去請子發的母親的安。子發的母親就問使者軍中缺糧的情形。使者說：「軍中缺糧情形很嚴重。每人每天只能分得到幾顆豆子吃。眞苦！」子發的母親，又問子發的情形。使者起先不好怎麽說。被子發的母親嚴詞責說了之後，才說實話。使者說：「子發將軍早餐、晚餐，都有好飯吃，還有葷菜吃。」子發的母親聽了很氣，忍在心裡。

這一次，子發打了勝仗，高高興興的回來。但是，回到家裡的時候，他的母親，却不許他進門。他不得已，只好回軍營裡去。他的母親就派人去軍營傳達責罵子發的話。他的母親的責罵話，是：「你沒有聽說過越王勾踐伐吳的事嗎？有一天，有人送一罏好酒到軍營裡去給越王喝。越王一點也不喝。只把酒倒去河裡的上流灘，通知士兵們到下流灘去喝有點酒味的水。那，會有什麽酒味呢？但是，那『越王和士兵同甘共苦』的意思，非常顯然。大家對作戰的盡力，就自然會增加五六倍。又有一天，又有人送一袋好乾糧到軍營裡去給越王吃。越王一點也不吃。只把來轉送給兵士們分吃。這，一個人會吃得多少到呢？但是，那『越王和士兵同甘共苦』的意思，非常顯然。大家對作戰的盡力，就自然會增加十幾倍。

「現在你做將，士兵們每天只分得幾粒豆子吃，你個人却早餐、晚餐都吃好飯，吃葷菜。你這是什麼將呀！你叫人家給你賣命，你自己却高高地坐在人家的屍堆上來享受。你這次雖然打了勝仗，那只是你的僥倖；那不是你有本事。你這樣的人，不是我的兒子。你以後不要回來好了。」

子發聽了非常慚愧，也感激母親說得對；於是趕快去向母親謝罪。那，子發的母親，才讓子發回家。

22 芒家五個兒子的繼母

芒卯是齊國人。在魏國做官。他的前妻去世了。留下五個兒子沒人照顧；他就又娶了一個後妻來照顧那五個兒子。這位五個兒子的繼母，自己也陸續生了三個兒子。她對待前母的五個兒子，不但沒有偏心，而且對待得比自己的三個兒子還更慈愛。可是那五個兒子，還是對這位繼母，一點也沒有好感。她用盡實際愛心愛行，想改變那五個兒子的觀念。比方：在日常生活上，吃、穿、睡覺、……等等，都讓五個兒子特別地好，讓自己的三個兒子特別地差；兩下相比，相差非常遠。可是，那五個兒子，還是對她沒有好感。她沒有辦法，只有打算慢慢繼續努力來改善。

這時候，五個兒子裡面的第三個兒子，犯了很大的法；要判死刑。這位繼母就不知悲痛到什麼地步。天天淚流滿面，到處奔走求托，想盡辦法營救。因此搞得面黃肌瘦，骨瘦如柴。左鄰右舍，看得很不服氣；有好多人勸她、說：「那五個兒子他們都不愛你，你何必苦苦地這樣太好地對待他們呢？」那位繼母說：「假如我自己的三個兒子，也是同他們那樣的不愛我。現在出了事，我還是會去救他們。為什麼是人家的兒子就有不同呢？這樣，和一般凡俗的繼母，有什麼不同呢？他們的爸爸要再娶我，目的就是要我照顧他們。如果我不能夠對待他們，對待得和他們的親生母親一樣，那，我，怎麼對得起他們的爸爸呢？如果做母親的不愛兒子，那是不慈。如果只愛自己的兒子而不愛前母的兒子，那是不義。不慈不義的人，怎麼能在這世界上站脚呢？」

有一些粗俗的人，聽了她的那種話，不能領略；就背地裡罵她自討苦吃、自討苦惱受，那是活該。但是，左鄰右舍，自然也有高行高修養的人，輾轉地把她那種話傳給了魏安釐王聽。安釐王聽了，認為她是個標準的慈母。因此就赦免了那第三個兒子的死罪。

從此以後，五個兒子都對那位慈母，轉變了一百八十度的態度。一家雍雍和和，過著極美滿的家庭生活。後來這五個兒子，都做了魏國的大夫。

23 趙括的母親

趙孝成王七年，秦國的軍隊和趙國的軍隊，在長平〔注〕地方對峙。那時的帶兵大將是廉頗。廉頗雖然是一位有才能的大將，可是秦國的兵力，實在太大；因此，趙國的軍隊，一再地被秦國的軍隊打敗。廉頗沒法，只好加強防禦，不再出壘應戰。卽使秦國的軍隊一再挑戰，廉頗總是不理。因此秦國的軍隊也沒有辦法。

齊國知道趙國的趙括是一個有虛名而沒有眞實軍事才能的人，比廉頗的才能差得太遠。於是就用反間計，除掉廉頗。秦國巧妙地派間諜，輾轉間接地向趙王進言說：「秦國最怕的就是：馬服君趙奢的兒子趙括會做將。如果把廉頗換掉，換趙括來做將，秦國的軍隊，就必然要撤了回去了。」趙王很差勁，一搞就聽信了這話；果然就撤換廉頗，派趙括做將。

藺相如知道這事，於是馬上就去諫阻趙王說：「大王只憑聲望任用趙括，這就好像彈一個死調門的瑟，死也是一個調門，沒有法子變動。趙括這個人，只會讀他爸爸留下的兵書，只知道一些空洞的理論，並不能體悟戰略上因時因勢而運用的變通。派他做將，太危險了。」趙王不聽，趙括終於做將。

趙括從小就學兵法，談戰略，自以為天下沒有人比得上自己。有一次，他和他父親趙奢談戰陣佈置的道理，他的父親也難他不倒。但是趙括的父親，並不因此就承認趙括眞正懂得兵法。趙括的母親問趙奢：「爲什麼這樣不算眞懂兵法？」趙奢說：「打仗，是關乎生死的大事，而括兒却老是說得輕鬆容易。將來趙國不用括兒做將就好；如果用了，使趙國慘敗的，就是括兒了。」

等到趙括將要去上任接移交的時候，（那時候，趙奢已經死了。）趙括的母親就向趙王進言說：「不宜用趙括做將。」趙王問：「這是爲什麼呢？」趙括的母親說：「當初我嫁到趙家的時候，趙括的父親正做大將軍。他親自進奉飲食而用對老師的禮節對待的人，一共有幾十個人之多。他用對待朋友的禮節對待的人，一共有幾百個人之多。大王和宗室所賞賜的財物，他全都用來分給士兵和謀臣們享用。每次一接到出征令，就從那一天起，不再過問家事，而專心去籌劃軍機。現在，趙括，一做將就馬上架子十足，朝東坐著接見部下。部下沒有敢抬頭望他一下的。大王賞賜給他的財物，他都把來藏在家裡，一點都不分給人家。天天留意位置合他理想的田地房屋，能夠買到的，就買下來。大王看，他這種作爲，怎麼能夠和他的父親相比？他們父子，觀念思想，全然不同。請大王千萬不能任用他爲將！」但是，趙王說：「老夫人不必說了。我已經決定了。」趙括的母親不得已，只好說：「如果這樣，那，他日後有不稱職的時候，就不能連累我和我們一家人了。」趙王說：「可以。」

趙括一取代了廉頗的將位，馬上就全盤更改法令，調動官吏。秦國大將白起得到情報，就運用奇兵戰術，假裝被打敗了而往後逃走。却從趙軍的背後，偷打趙國軍隊的輜重和補給路線。把趙國的軍隊截斷成兩部份。趙國軍隊的鬥志，就降得非常的低。經過了四十幾天，趙國的軍隊，沒有糧食了，士兵餓得要命。那當然就不能打仗了。趙括不得已只好選拔精銳部隊，親自帶著去和秦國的軍隊展開肉搏戰。就在這時候，趙括被秦國的士兵射死了。主將一死，全軍就大敗。幾十萬大軍，只好束手投降。秦國把他們全部活埋掉了。

這一次戰爭，趙軍一共損失了四十五萬人。國力大傷。第二年，秦國的軍隊，乘勝包圍了趙國的都城邯鄲。持續了一年之久，幾乎無法解圍。最後還是靠著楚國、魏國等國的救援，才解了圍，保住了邯鄲。趙王因爲趙括的母親有言在先，所以無法處罰她。

〔注〕長平　長平，在現在的山西省高平縣西北的王報村。

附「說明」：

趙括的母親，是不是算得賢母？有見仁見智的看法。我們的看法，可以是這樣：如果石碏是賢父，那，趙括的母親，就是賢母。（石碏的事，請翻看左傳隱公四年九月裡面的記述。）

24 魏國一個士兵的母親

吳起做魏國的將的時候，能夠出奇地和士兵們同甘共苦。士兵有生疽的，據說要用嘴去吮了才會好。吳起就眞的去替生疽的士兵吮疽。這是最感動人的事。所以，吳起的士兵，沒有一個不替吳起賣命。

有一次，有一個士兵生疽，吳起又去吮。那士兵的母親聽到了這消息，不禁悲切的大哭起來。鄰居有不知道她哭的原因的，就責備她、說：「一個大將親自用嘴替你兒子吮疽，這還不光榮嗎？你還哭什麼！」她說：「你只知其一，不知其二。往年，吳公曾替我的丈夫吮疽，我的丈夫作戰不久就被敵人殺死了。現在吳公又吮我的兒子的疽。我的兒子算來又死定了。你說我會不會傷心呢？」

附「說明」：

這位母親是不是賢母？可能有見仁見智的看法。唐朝的詩人白居易做詩說：「昔有吳起者，母沒喪不臨。嗟哉斯徒輩，其心不如禽！」吮疽爲什麼要大將親自吮？所以吳起有點做得過分。顯然他是存心利用別人賣命。居心不良。如果是以這個角度看，這位母親愛兒子愛到了家，自然就是賢母了。

25 魯孝公的保母

魯孝公的保母，姓臧。她帶著自己的兒子進宮做孝公的保母。魯國人造反。要搜尋孝公，把孝公殺掉。臧氏就犧牲自己的兒子去救孝公。她把自己的兒子，穿上孝公的衣服，睡在孝公的臥室，冒充孝公。造反的人，不知道是冒充，就把這假孝公殺了。臧氏就抱了眞孝公逃出宮門。在門外，遇到眞孝公的舅舅，就把眞孝公交給他。

事後魯國人知道這回事，都非常敬佩這位保母，都對她尊稱爲「義保母」。

26 魏公子的乳母

秦國攻打魏國。攻破了都城，捉到了魏國的君主，殺掉了。他們想斬草除根，因此，把所有的公子，都搜尋到而殺掉。可是有一個公子找不到。秦國很急。就下通令、說：「如果有人把公子交出來，會發給獎金金子兩萬兩。如果有人藏匿不報，查出了之後，要誅殺三族（注）。

這時候，公子的乳母，抱著公子逃走。然後妥善地把公子藏匿在一個地方。有一個認識乳母的宮裡的官，問乳母、說：「公子現在在哪裡？」乳母說：「不知道。」那官說：「你不會不知道。」乳母說：「我就知道，也絕對不會說出來。」那官說：「你這人，眞是一個傻瓜！現在國家破碎，國君也被殺死了，各公子也都被殺掉了。你還保著一個公子，有什麼意思？兩萬兩金子的獎，多麼厚的利呀！誅殺三族，多麼重的刑哪！小孩子也曉得想。你這人，眞傻瓜呀！」

乳母說：「見利而反上，這叫做『逆』。怕死而棄義，這叫做『亂』。做逆亂的事，稍微有人性的人，就不會做。你說我會做嗎？」於是等那官走出門之後，就趕快抱著公子逃躲去野外一個有深密的森林而又有水草的地方。那官去告密。秦國就派軍隊循線追到乳母躲藏的地方。乳母抱著公子，躲在澤邊濃密高茂的草叢裡。秦國的軍隊，看到了一點影子，就用密集的箭射去。乳母趕快用身子擋住。

可是，終於因爲箭太密，而兩個人都被射死了。

秦王知道了這會事之後，非常稱讚這位乳母的義氣。命令用葬卿的禮儀去葬那位乳母。用牛、羊、豬三牲的祭品，隆重地祭她。又封她的哥哥「五大夫」的爵位，並且賞賜兩千兩的金子。

〔注〕　三族　三族：父族，母族，妻族。

秦朝

27 陳嬰的母親

秦二世元年七月，各地豪傑都起兵反秦。陳嬰也是其中的一個。他攻下了東陽縣。那時候兵力較大的項梁，就想聯絡他一同向西攻秦。

陳嬰原是東陽縣的令史（文書官）。在本縣，平素做事謹愼，對人又寬厚，說話又有信用；所以，被人們稱道爲「長者」（公認品德好的人）。那時候，東陽縣的少年們，殺死了縣令。聚集了幾千人。想要推舉一個首領，却找不到適當的人。於是就想要陳嬰出來做首領。陳嬰却推辭，說：自己能力不夠。大家沒有人可推舉，就不顧陳嬰的推辭，強行推舉了他做首領。他一做首領之後，縣裡面擁護他的，就一共有兩萬人。那些人就想立他爲王。大家都戴著青色的軍帽，特別成立一支蒼頭軍。

陳嬰的母親，看到這種情形，知道自己那稟性忠厚的兒子，不宜做這種事，於是就對陳嬰、說：「自從我嫁到你陳家之後，從來沒有聽說過，你家的前代，有過大貴的人物。現在你突然之間，暴得爲王的大名。這不是吉祥的現象。你不如另外讓給別一個人去領頭，而你去做他的部下。如果起事成功，還是有封王、封侯的希望；如果失敗，你就比較容易逃避；因爲，到時，你不是一個被指名追捕的人。」

陳嬰聽了，覺得母親的話，是一種非常穩健而安分的話，於是就不敢爲王。於是就對他的兵士官吏、說：「項氏是世代大將傳家。在楚國有大名。現在要舉大事，非項氏出來領導不可。我們都依靠有大名的世族來行事，事情就一定可以成功；而滅亡秦國，就是必然的事了。」於是，大家都聽從陳嬰的話，把兵衆都歸屬於項梁。

附「評論」：

班彪王命論（節錄）

（見次篇後面所附的評論。）

漢朝

28 王陵的母親

王陵是沛郡（注）人。在郡縣裡有錢有勢。漢高祖也是沛郡人，所以他和漢高祖是同鄉。漢高祖地位低微的時候，和他感情很好。所以，楚漢相爭的時候，王陵就招集了一些人，帶去歸屬漢高祖（那時是漢王。）。

那個時候，王陵的母親，被項羽抓到。項羽想利用王陵的母親來招致王陵。當王陵派人到項羽軍營探看王陵的母親的時候，項羽就要王陵的母親，對派來的人說：要王陵來歸順。可是，王陵的母親，是個深明大義而又目光遠大的人。怎麼會接受項羽那種叫人毀損人格的要求呢？於是當派來的人來見她的時候，她就斷然地暗中對派來的人說：「你回去替我告訴王陵，好好侍奉漢王，不要爲了我的緣故而懷二心。我現在用死來送你回去。」說完，馬上就用劍自殺。項羽憤怒極了。將王陵的母親的屍首，拿去烹煮。

王陵聽從母親的話，一心一意侍奉漢高祖。漢高祖即位後，王陵受封爲安國侯。惠帝的時候，王陵被任用爲右丞相。

〔注〕沛郡　沛郡在現在的江蘇省安徽省境內。

附「評論」：

班彪王命論（節錄）

原文

……嬰母……王陵之母……夫以匹婦之明，猶能推事理之致，探禍福之機，全宗祀於無窮，垂册書於春秋。……是故窮達有命，吉凶由人。嬰母知廢，陵母知興。

意譯

……陳嬰的母親……王陵的母親……以她們這兩位母親那樣極平凡的女人，還能夠推究出事情的道理最深奧的地方，探測到是禍是福的原動力；因此能夠叫她們的兒子，保全家族傳代香煙到無窮代，好名譽能夠永久寫在史書上無盡止地流傳下去。……所以說：雖然理想的行得通行不通，是要聽天由命，可是，是惹禍還是招福？是招吉還是惹凶？却完全是由人們自己來決定。陳嬰的母親，看出了「廢」的一面的奧妙；王陵的母親，看出了「興」的一面的奧妙。

29 張湯的母親

張湯是漢武帝時候的杜郡〔注〕人。由文書小官，做到御史大夫，還代理過宰相。在做小官的時候，受了一些大官的不禮貌對待，所以做了大官的時候，就存心報復；常常好勝而盛氣陵人。他的母親常常責罵他，他却不能改。因此，得罪了好多人，長史朱買臣、邊通、王朝他們最恨他，想置他於死地。於是借機會陷害他。漢武帝一下子沒有搞清楚事情的眞相，於是就叫人暗示張湯，要他自殺。他不得已，只好自殺。

張湯的兄弟兒子們，想要厚葬他。張湯的母親不肯。她說：「湯兒做天子的大臣，招致人家說他的壞話，使得皇上叫他自殺。這樣死得不光不榮，還去葬什麼厚葬呢？」於是，只簡簡略略地，把張湯裝在一口沒有椁的棺材裡面，用一部牛車拖去埋葬了事。

張湯自殺之後，漢武帝叫人調查他的家財，最多只有五百兩金子。那還是俸祿所得和皇上所賞賜的財物的積蓄。和陷害的情形完全相反。漢武帝於是很後悔。就把朱買臣他們三個長史都處死。宰相也自殺。當漢武帝聽到張湯的母親不把張湯厚葬的情形之後，感慨地讚歎說：「沒有這種好母親，就生不出這種好兒子！」爲求補償，就升張湯的兒子張安世的官。

〔注〕杜郡在現在的陝西省境內。

30 金日磾的母親〔注一〕

金日磾是匈奴休屠王的太子。漢武帝元狩初年間，派驃騎將軍霍去病去攻打匈奴的西部地區。匈奴的昆邪王和休屠王商議決定要向漢朝投降。可是，事後休屠王後悔。於是昆邪王就殺死他而帶他的部屬和家屬投降漢朝。

投降之後，休屠王的閼氏〔注二〕帶著她的兩個兒子——金日磾和倫，被沒收去公家做奴婢服勞役。在這過程之中，金日磾的母親的心情，是多麼的悲苦！——丈夫被殺死，自己帶著兒子去做人家的奴婢。可是，她，忍氣吞聲忍辱負重，把她的兩個兒子，教誨得非常有成就。漢武帝聽到了，非常地稱讚。她死了之後，漢武帝命令畫工，畫好她的像，懸掛在甘泉宮。

當時金日磾，因爲爲人穩重厚道，非常被武帝親重。那「金」的姓，就是武帝賜給他的。官做到侍中和車騎將軍。還曾因戰功被封爲「秺侯」。武帝死的時候，還立遺詔叫他和霍光共同輔政。死後的謚號是「敬」。

匈奴人在中國受這樣榮寵的，他是數一數二的人。這顯然是他的母親教誨的成果。

〔注一〕碑　音ㄉ一。

〔注二〕閼氏　音一ㄢ ㄓ。匈奴叫單于的妻子叫「閼氏」。和「皇后」的意思相仿。

31 雋不疑的母親

雋不疑是漢朝時候的渤海郡〔注一〕人。武帝末年，做青州刺史。昭帝的時候，升任京兆尹〔注二〕。

他做京兆尹的時候，他的母親總是教訓他：要發揮仁慈心；對於刑案嫌疑犯，絕對不能有冤獄。當他每次到各縣去審察刑案的案情回來的時候，他的母親總是搶著詢問、他：「有不有平反？平反了幾個人？」如果雋不疑所答覆的人數多，他的母親就笑逐顏開，高興得吃也吃得特別有味，說話也說得特別顯得爽快。如果他所答覆的人數少，他的母親就馬上愁眉不展。她，那，當然不是要雋不疑沒有可以平反的也一定要勉強去平反幾個向母親交差；她是愁雋不疑沒有發揮最大的仁慈心用心去審察，只馬馬虎虎算了，把人命當兒戲。所以，她在聽到雋不疑所答覆的人數少的時候，有時候還故意咬定：不是眞的人數少，而是雋不疑沒有用心審察。用這方法來激勵雋不疑。所以，雋不疑做官，百分之百地做到了嚴而不殘。對刑案，百分之百做到了毋枉毋縱。

〔注一〕渤海郡 在現在的河北省、山東省境內。

〔注二〕京兆尹 相當於現在首都所在地的直轄市的市長。

32 翟方進的繼母

翟方進是漢朝時候的上蔡縣〔注〕人。他小時候就死了母親。父親娶了一個繼室。在他十二、三歲的時候，他父親又去世了。因此，家境搞得非常貧窮。生活都成問題，讀書當然就更談不上。爲了生活，他不得不去替人家服勞務。於是托人介紹去太守府裡面做一個侍童。在這過程裡面，常常被府裡的一些下級小官們責罵。他非常傷心，於是就下決心，要去京城裡面從師研讀經書，然後去參加選拔考試。

他想定了主意，就辭去了侍童職務，回家去商請繼母賜助。他的繼母，是一位仁慈而通達的繼母。經他一說，不但應允了，而且還願意跟隨他同去；以便做苦工賺些錢做他在外的生活費和學費。

他和繼母一同去到京城——長安。他繼母就天天做打草鞋的苦工賺錢來支持他。這樣刻苦耐勞地做了十幾年，翟方進終於把經書研讀得非常好。在一次參加對策考試的時候，考中了甲科。馬上就被公家派去做郎官。

後來因爲他才德都好，官位常常升遷。到成帝永始年間，他做到宰相。封高陵侯。

他的有這種成就，不全是他繼母的功勞嗎？

〔注〕上蔡縣　在現在的河南省汝南縣的北邊。

33 嚴延年的母親

嚴延年是漢朝時候的東海郡〔注一〕下邳縣〔注二〕人。他在宣帝的時候，做河南郡〔注三〕太守。

他爲人短小精悍，做事非常敏捷，對部下非常愛護，所以做官的成績很不錯。只是爲人非常剛烈殘忍。尤其對於處決罪犯，更是殘酷。他善於寫獄政的公文。他想要處死什麼人，都是自己寫上奏的公文，不假手於文書人員。所以沒有人曉得：他要殺什麼人？公文被批准了說可以處死，他處死犯人的速度，出奇地快。有人想救或是有錯想補救，都來不及。那年冬天，他把他屬縣的囚犯，都集中在太守府審問。被判決死罪的，非常的多。行刑之後的血，散流了幾里路遠。河南郡的人，都叫他「屠夫頭子」。他的這種殘酷，朋友勸他，母親訓誡他，他都不聽；一意孤行。有升官的機會，也因爲殘酷的壞名聲而失去。

當嚴延年那年冬天處決囚犯的時候，他的母親從下邳縣的家裡去河南郡，想同他一共過臘八節。到了洛陽（太守府所在地），聽到他處決囚犯的消息，大吃一驚。她就不去太守府，就在都亭停留下來。嚴延年聽說母親來了而不肯進府裡來；於是趕快去都亭迎接。可是，當他去到都亭的時候，他母親關起門來，不肯見他。他沒有辦法，只好脫下紗帽，跪在門口扣頭請求。跪了好久，他母親才讓他進去見面。一見面，就很生氣地責罵他：「你的祖宗積了德，才讓你今天做到了太守。你却不知道用仁愛去感化人民，只一味殘殺。你想用這種手段來立威。這是好官嗎？這是父母官嗎？」

嚴延年聽了，非常慚愧；於是趕快跪下扣頭謝罪。然後親自駕車，載母親回府裡去。

到了府裡之後，嚴延年的母親，做完了臘祭；又教訓嚴延年、說：「天道神明，有一定的因果報應。他殺了別人的父親，別人也會殺他自己的父親；他殺了別人的哥哥，別人也會殺他自己的哥哥；他殺了別人本人，另外一個別人，也會殺他本人。天道沒有只許那個人殺別人而不許別人殺那個人的。唉！我眞想不到：到了今天老了，還要看到人家殺我自己年輕的兒子——你。孩子！我回去了！我要離開你回去了！我回去會把墳墓做好等待你！」說完，就掉著眼淚走了。

嚴延年的母親，回到家裡之後，又把曾經對嚴延年說過的那些話，重說一遍給嚴延年的兄弟和其他族人聽。過了一年多些，果然全不出嚴延年的母親所料，嚴延年果然因爲犯了「怨望誹謗政治不道」

〔注四〕而被棄市〔注五〕。

這消息傳出之後，東海郡的人，沒有人不稱讚嚴延年的母親的賢而有智慧。嚴延年兄弟五個，都有做官的才具，都做了祿秩兩千石的大官。所以東海郡的人，都叫嚴延年的母親叫「萬石嚴嫗」。

〔注一〕東海郡　在現在的江蘇省、山東省境內。

〔注二〕下邳縣　在現在的江蘇省境內。

〔注三〕河南郡　在現在的河南省。

〔注四〕怨望誹謗政治不道　就是發政府的牢騷。

〔注五〕棄市　是較重的死刑。是在大庭廣衆裡面斬殺他而讓大衆鄙棄他的人格。

34 一位小女孩的繼母

珠崖郡〔注〕在武帝元鼎六年到元帝初元三年的幾十年間，有一任太守，姓名、年、籍，現在都不知道。他有一個前妻的女兒，名字叫「初」。十二、三歲。初的繼母有一個兒子。八、九歲。初和繼母，平常相處得非常融洽。

珠崖郡是盛產珍珠的地方，珍珠比較便宜；初的繼母就買了十顆大珍珠，連成珠圈，戴在手上當手鐲。那時候的法令規定：珍珠不准出境。如果有偷帶出境的，就要被判死刑。

有一年，那位太守不幸去世。他是外地人，所以要送喪回去。初的繼母，在整理衣物的時候，就把那圈珍珠，丟在不打算帶回去的東西的一邊。不想她的兒子，年紀小，不懂事；覺得那圈珍珠太好玩了。於是就在玩了一會之後，順手就放進母親要帶回家去的鏡盒子裡面。事後，誰也沒有注意，就這樣糊裡糊塗把那圈珍珠帶走了。

到得海關關上，海關檢查東西；發現了這圈珍珠。當時初和繼母，都嚇得目瞪口呆。關吏追問：是誰偷帶的？初心想：「一定是繼母偷帶的。但是繼母爲人那麼好，我怎麼忍心讓繼母去受死刑？」於是很快就答應：「那是我偷帶的。」關吏說：「你怎麼會偷帶？」初說：「我也不是故意偷帶。是看到媽媽把珍珠丟掉，覺得可惜，我就撿起來放在媽媽的鏡盒子裡面。」繼母聽了，心想：「這麼好的女孩，一定不會偷帶。這麼懂事的女孩，『可惜』的話，也怕是假的。但是，又怎麼會在鏡盒子裡面呢？」想不通；於是又相信初的話。但是又覺得初沒有媽媽，眞是可憐。於是就毅然決然向關吏說：「不是她偷帶的。是我。」關吏說：「你爲什麼偷帶？」繼母說：「我也不是故意偷帶。是因爲當時心情太過悲苦而又怱忙，所以，就不知道怎麼把來丟進鏡盒子裡面了。」這時，初又搶着說：「不是媽。是我。」繼母也說：「不是她。是我。她是有孝心，要替我脫罪。」說到這裡，不禁淚流滿面。

初也說：「這是媽媽可憐我，要替我脫罪。」說着，也淚如雨下。這時候，所有送葬的人，都被感動得哭了。大家都說：「這樣的好人，不會偷帶珍珠。」關吏看到這種情境，罪證筆錄，也一個字也寫不下去。關卡主任，也搞了老半天，決斷不下去。最後決定說：「她們母女這麼有義氣，我寧願我負責擔錯過。如果上面要追究，我完全負責。現在不要追究她們。」說著，就把珍珠丢去海裡，讓她們過關。

事後，都知道這是不懂事的小兒子放的。眞相大白。大家都慶幸：沒有冤枉好人。

〔注〕珠崖郡 在現在的廣東省瓊山縣東南。

35 後漢章帝的嫡母〔注〕

後漢明帝的皇后，是明德馬皇后。她自己沒有生兒子。賈貴人生章帝，明帝叫她把來當我自己的兒子撫養。明帝對她、說：「一個人不一定要自己有兒子就好。假如你能用眞正的愛心去撫養，那就撫養人家的兒子和撫養自己的兒子，沒有半點不同。所怕的就是你沒有用眞愛心，沒有愛到家。」她聽了明帝的話，很以爲然。於是盡心竭力撫育章帝。那勞瘁的程度，超過任何一個親生母親。而章帝也是個天性孝順的人。這樣母慈子孝，互相融和，結成了一對古今少有的慈孝母子。極被後人傳爲美談。

〔注〕嫡母　妾生的兒子，叫父親的正妻叫「嫡母」。

36 後漢沛孝王的祖母

漢光武的第二個兒子是沛獻王。沛獻王的孫子沛孝王，患有長久醫不好的病。於是安帝就下詔要他的祖母周氏，去主持王府的一切事務。那位祖母去到王府之後，做事光明正大，樣樣合法合禮。在順帝漢安年間逝世。順帝下詔稱讚她「秉心淑慎，導王以仁。」意思是：稱讚她心地善良，思慮謹慎；完全是用仁愛的言語行動來教導沛孝王，使得沛孝王成了一位被人稱道的好人。除了下詔稱讚外，還命令光祿大夫〔注一〕贈給她相當於皇妃用的印綬〔注二〕。

〔注一〕光祿大夫　管皇宮裡面庶務、文書、交際……之類的事的官。

〔注二〕印綬　是包綁印的絲質而有帶子作用的包巾。

37 陳興兄弟的後母

後漢時候，有一個叫「陳文炬」的，是漢中郡（注一）人。他的妻子死了之後，他娶了一個繼室。是同郡一個叫「李法」的的姐姐。名字叫「穆姜」。李穆姜有兩個兒子，而陳文炬的前妻有四個兒子。陳文炬做安衆縣（注二）縣令，死在任內。他前妻的四個兒子，認爲後母不是自己的親生母，一定是會對待自己很壞。因此，後母怎麼對他們好，他們總是有成見，時時憎恨後母，處處和後母作對。而李穆姜却完全不去和他們計較，只一味用慈愛溫仁的言行對待他們。在日常生活上，特別對他們豐厚。比對自己的兩個兒子，好上不知道有多少倍。可是四個兒子他們，還是一點也沒有把觀念和行動改變。左鄰右舍有看得不服的，對李穆姜、說：「他們那樣的不孝，簡直是到了極點。你何不跟他們分居，離開他們？」她回答說：「年青人總是這樣。我不跟他們計較。我一直用感化的方法對待他們。我想，人不是木石，總有一天，他們會悔悟的。」

過不多久，四個兒子裡面的老大叫「陳興」的，生起病來。病得非常厲害。李穆姜就在這個時候，出於自然的仁慈的心，親自給那老大調藥餵食，洗屎洗尿，照顧得無微不至。陳興病了好久才好。他知道：這次如果不是後母的慈愛，很可能不會好。於是他內心很感動；叫來了三個弟弟，對他們說：「繼母的仁慈，是出自天性。我們兄弟，一直不知道她的恩惠；想起來，我們眞是禽獸不如。我們的過惡，實在太深了。我們應該要自請處罰才對。」

說完，就帶領三個弟弟到南鄭縣〔注三〕去，向獄官陳述他們後母的恩德，報告他們自己的過惡。請求獄官加以刑罰。南鄭縣令將情由向郡守報告。郡守收到報告之後，特別用公文表揚李穆姜。免除她家對公家該盡的一些義務。四個兒子，也沒有被處罰，只由縣令訓斥他們一頓而放他們回家。

自後四個兒子都非常接受後母的教誨。後來每個人都品學兼優，很有成就。

李穆姜活到八十多歲才死。死的時候，叮嚀四個兒子說：「我的弟弟李法，有薄葬的議論，是非常正確的。你們要遵守他的那種見解，千萬不要受世俗的影響而把我厚葬。否則，增加我名譽上的負累，我在九泉也不安心的。」四個兄弟聽了，都切實遵行。

〔注一〕漢中郡　在現在的陝西省南部和湖北省西北部的一帶地區。
〔注二〕安衆縣　在現在的河南省鎭平縣東南。
〔注三〕南鄭縣　在現在的陝西省。

38 馮勤的母親

馮勤，後漢時候的魏郡〔注一〕繁陽縣〔注二〕人。起初，他在魏郡太守銚期那裡做功曹〔注三〕。因爲能力很強，銚期就把他推薦給光武帝。光武帝常常稱讚他是好官。因此，升遷得很快。最後做到司徒〔注四〕。賜給他「關內侯」的爵位。

他有這種才能和成就，完全得力於他有一位好母親。那時，他的母親，已經有八十歲。光武帝每次召見她，總是要她不必跪拜。並且叫自己的侍從官扶她上殿。每次上殿之後，光武帝總是向各王、說：「使馮勤有現在這樣的成就的，就是這位賢母。」

〔注一〕魏郡　在現在的河南省臨漳縣西南。
〔注二〕繁陽縣　在現在的河南省內黃縣東北。
〔注三〕功曹　官名。管人事、文書的小官。
〔注四〕司徒　官名。管普通行政和教育行政的國家最高長官。

39 郭丹的後母

郭丹是漢朝時候的穰縣〔注一〕人。七歲的時候就沒有了父母。靠後母撫養。後母是一位賢母。

他家家境非常貧窮，後母總是吃苦耐勞做些女紅，賺點微薄的收入來支持對他的教養婚配。郭丹的能夠去長安求學而學有成就，做官做到諫議大夫〔注二〕和司徒〔注三〕，都是他的後母的勞苦促成的。

〔注一〕穰縣　在現在的河南省鄧縣境內。
〔注二〕諫議大夫　官名。掌理侍從規諫。
〔注三〕司徒（見第38篇的「注四」。）

40 趙苞的母親

趙苞是後漢時候的清河郡〔注一〕甘陵縣〔注二〕人。他在升任遼西郡〔注三〕太守的第二年，派人去接他的母親和妻子去遼西郡太守府所在地的陽樂縣〔注四〕縣城居住。當她們經過柳城縣〔注五〕的時候，剛剛鮮卑族一萬多人要去攻打遼西郡。於是趙苞的母親和妻子，就被鮮卑人抓住了。要把她們當人質去要挾趙苞。

鮮卑的軍隊，到了城下，趙苞帶了兩萬兵出城對抗。鮮卑人把趙苞的母親推出到陣前，對趙苞說：「你如果不撤兵，如果要對抗，我們就殺了你的母親和妻子。」趙苞看到了，大吃一驚。不由得大哭起來。他邊哭邊向母親、說：「我做官的目的，是想賺點薪俸來養活母親。哪曉得今天却反給母親禍害。」說著，又放聲大哭。可是，不一會，就毅然決然說：「母親呀！古人說：『忠孝不能兩全。』我現在是皇上的臣子，就不能是您母親的兒子了。我現在不能顧私恩來損害忠義。我一定要和賊兵拚命。請母親原諒！」他的母親深明大義。聽了，就回答說：「苞兒！人各有命。你不必顧慮我們，來虧損忠義。我聽說：從前王陵的母親，用自殺來勉勵他的兒子。我也是這個心志。你自己努力做吧！」

趙苞馬上就開始向鮮卑進攻。雖然結果把鮮卑打敗了，而他的母親和妻子，却早就被鮮卑殺死了。趙苞在安葬了他的母親和妻子之後，對鄉人們說：「得受了皇上的秩祿，却不替皇上出力，有患難却要逃避；那是不忠。犧牲母親來換取忠義，那是不孝。我雖然沒有不忠，但是，我，實在是不孝。不孝的人，有什麼面目來立足這社會呢？」說完，當場就悔恨得嘔血而死。

〔注一〕清河郡　就是現在的河北省的清河棗強等縣、山東省的清平高唐臨清武城等縣和它們的附近一帶地區。

〔注二〕甘陵縣　在現在的山東省清平縣南邊。

〔注三〕遼西郡　在現在的河北省和遼寧省境內。

〔注四〕陽樂縣　在現在的河北省盧龍縣東邊。

〔注五〕柳城縣　屬遼西郡。在現在的遼寧省城興縣西南。

41 范滂的母親

我國歷史上，有幾次黨禍。最慘的一次，就是後漢桓帝靈帝時候的一次。被關在牢裡死去的人一百多，被連累的人六七百。所謂「黨禍」，簡略地說，就是：國家有正義感的智識分子和朝廷人格卑汚的宦官作對。宦官就藉權勢借事件，誣衊智識分子是結黨爲奸，誹謗朝廷，惑亂風俗。因而借皇帝的權力，大事捕殺。桓帝靈帝時候的智識分子領導人物是李膺杜密（都被殺）。宦官的頭子是曹節。雙方的對抗，拉鋸式地搞了好久。到了靈帝建寧二年，又大事拘捕誅殺宦官們所謂的黨人。范滂是黨人中的一個。他不等拘捕，自動去官府報到。他和母親分別的時候，對母親說：「仲博弟弟，非常孝順；有他奉養母親，我很放心。我現在要去九泉和爸爸見面了。只是母親對孩兒我特別慈愛，一定不忍割捨。請母親要特別想開，不要太過悲傷。」他的母親聽了，當然很悲傷。但是，她，深明大義；同時，爲了讓兒子安心而去，也要說幾句安慰話。於是；她就安慰范滂、說：「你現在可以同李膺先生和杜密先生一樣出名了。就是死了，也不會有遺憾。因爲，又要得好名，又要希望壽命長，這是非常難得的事。孩子，你安心去吧！」范滂跪拜了一陣，就離去了。

42 楊元珍兄弟的母親

楊元珍兄弟的母親，姓劉，名泰瑛。是漢中郡（注一）南鄭縣（注二）楊相的妻子。大鴻臚劉巨公的女兒。生有四個兒子和兩個女兒。楊相去世之後，她教訓六個兒女，非常有法度。下面是史書上舉述的兩個例子：

她的四個兒子，沒有敢在外面和朋友喝酒喝得有醉意回家的。有一次，她的大兒子楊元珍，在外面和朋友喝酒，不得已喝醉了。時間不早了，非趕快回去不可。喝了酒膽子大些，楊元珍就醉着回去。楊元珍的母親看到了，就大大生氣說：「我現在還沒有死，你就這樣做壞事毫無畏懼；如果我死了，那不更會胡作非爲到不可收拾的地步嗎？你這樣的品行，你怎麼去做你的弟弟們的表率呢？」於是一連十天不讓楊元珍見母親的面。楊元珍在第十天見面的時候，叩頭謝罪。

她的第二個兒子楊仲珍，有一天，禀告母親，說是要請幾個朋友來家裡吃飯。母親應允了。可是，客人來到之後，都是母親認識的人。都是些不三不四、母親平素很看不起的人。客人走了之後，母親生很大的氣，大聲責罵楊仲珍。從此，楊仲珍就徹底改過，放棄那些不三不四的朋友，另外交結賢能的人。

後來，楊元珍四兄弟，都成了很有成就的人。

〔注一〕漢中郡（見第37篇的「注一」。）
〔注二〕南鄭縣（見第37篇的「注二」。）

趙元珪兄弟的母親

趙元珪兄弟的母親，姓杜，名泰姬。漢中郡〔注一〕南鄭縣〔注二〕人。是犍爲郡〔注三〕太守趙宣的妻子。生有七個兒子、七個女兒。

她教訓兒子的重要訓辭是：

人，上智、下愚的很少。大多數人都是中人。中人的性格是可上可下的。所以，做人的重點，就在自己切實反省檢點。如果放任自己而不檢點克制，就必然會變成惡人。從前西門豹性情急躁，他就用軟皮做的飾物佩帶在腰間，來警戒自己要克制急躁。宓子賤性情懶散，他就用急張的弓弦做飾物佩帶在腰間，來警戒自己要克制懶散。他們這樣地自我檢討，自我克制，所以就能改掉自己的缺點，成爲一個大有成就的人。

她教訓女兒的重要訓辭是：

女人的重要品德是：守貞操而性情溫順。對待兒女的重要原則，第一是慈愛。第二是身敎重於言教。母親自己端莊，兒女就自然也會端莊。母親自己注意健康，兒女就自然也會注意健康。母親自己做事勤勞、謹愼，兒女就自然也會做事勤勞、謹愼。母親自己會孝順父母翁姑，兒女就自然也會孝順父母翁姑。母親自己對人忠信，兒女就自然也會對人忠信。……。

她有這樣的善良教法，所以，七個兒子後來都有很大的成就，都被舉爲孝廉，做州牧，做郡守。當時的漢中太守，南鄭縣令，多半是和她的七個兒子同年被舉孝廉的人。所以，每次當到他們去進京報告工作情形的時候，總是順便帶着禮物去拜見她。

〔注一〕漢中郡（見第37篇的「注一」。）

〔注二〕南鄭縣（見第37篇的「注三」。）

〔注三〕犍爲郡　大致是現在的四川省宜賓、慶符、富順、屏山、筠連各縣一帶地區。

44 陳某的母親

漢中郡〔注一〕成固縣〔注二〕陳家，有一位母親，姓楊名禮珪，是南鄭縣〔注三〕楊元珍的女兒。丈夫是陳省。她有兩個兒子。大兒子的妻子是張家的女兒，二兒子的妻子是荀家的女兒。張、荀兩家，都是富貴人家。她們的隨嫁婢女，有七八個。嫁妝的情形，顯得非常豪富。豪富人家的女兒，雖然不一定就是驕生慣養；但是，驕生慣養的居多。楊禮珪怕這兩個媳婦，沒有勤勞的習性，不能吃苦；於是就以身作則地自己吃苦給她們看，並且教她們「要能勤勞」的道理。她說：「我的先姑是母師。她常常教訓我、說：『自古聖賢都是教人要勤勞。原因是：只有勤勞才會產生向善的心。安逸快樂就勢必淫蕩。淫蕩就一定產生作惡的心。』我們家雖然沒有妳們家那樣富豪，但是也不算是貧窮人家。我却總是粗衣粗食，勤勞操作。我的目的就是要練習勤勞。希望妳們兩個人，原沒有不勤勞的習性就更好；如果有，就要趕快改正過來。」兩個媳婦聽了，都不敢違背，只再拜受教。

有一次遭亂逃難住親戚家裡。表兄、表弟等，每次要見這位母親；她總是衣着整齊，帶着兒孫侍婢等人一起出來相見。她說：「這是我先姑的良好家規。」

這位母親，對一年四季的祭祀，非常重視。祭品，像：牲口、酒，都要自己親自飼養、釀造，不會假手別人。她說：「祭祀，是重大而尊嚴的事，不能掉以輕心。」

她活到八十九歲才去世。

〔注一〕漢中郡（見第37篇的「注一」。）

〔注二〕成固縣　就是現在的陝西省城固縣。

〔注三〕南鄭縣（見第37篇的「注三」。）

45 王博的繼母

王博的繼母，姓文，名極，號季姜。是廣漢郡〔注一〕梓潼縣〔注二〕文家的女兒。是將作大匠〔注三〕廣漢郡的王堂（敬伯）的繼室。少年時候在娘家受了很好的家庭教育，也讀了好多古書。

王堂的前妻，生有一個兒子王博，兩個女兒王紀、王流。季姜也生了三個兒子王康、王稚、王芝，兩個女兒王始、王示。兒女一共有八個。季姜對待他們，不分彼此，同樣的撫育恩愛。

王博的祖母，管教兒孫非常嚴厲。就是做到了很有地位的大官，如果犯有過錯，還是要受木棍的責打；他的妻子連帶要在廳堂上罰跪。季姜遇上這種場合，只有孝順遵從，被罰跪廳上。

王堂的官位，調動了五六次。王博的祖母，都跟着播遷。後來祖母年紀老了，實在不能那樣跟著播遷了；於是就住在家裡。那時，侍養祖母的全部工作，都落在季姜身上。

後來，王紀、王流先後出嫁，季姜都把自己的婢女，分送給她們。王博喜歡書法，季姜就替他把一切書法的用具，都準備齊全。這樣，整個家庭裡面，顯得非常融洽。後來王博的妻子楊進，王博的兒子王遵，他的妻子張叔紀，受了家庭融和氣氛的潛移默化，也都是非常有賢德的人。所以鄉里號稱季姜楊進和張淑紀爲「三母」。

王堂死了之後，長兒當父，長嫂當母，季姜囑令她自己的三個兒媳婦，侍奉王博、楊進，等於舅姑。鄉里間對於這種現象，都讚佩效法。

季姜活到八十一歲去世。四個兒子都辭官回家守孝。四個女兒也各從丈夫的官舍回家弔喪。親戚、朋友，好多官位高的，一共有一百多人，都來弔祭。場面非常榮耀。

〔注一〕廣漢郡　在現在的四川省。

〔注二〕梓潼縣　在現在的四川省劍縣西南。

〔注三〕將作大匠　官名。掌管修建宗廟、路寢、宮室、陵園等土木工程的官。

46 姜敍的母親

漢獻帝建安年間，馬超攻打天水郡〔注一〕冀縣〔注二〕的時候，殺害了涼州〔注三〕刺史韋康。那時候，姜敍做撫夷將軍，把軍隊駐紮在信都國〔注四〕歷縣〔注五〕。姜敍的姑母的兒子楊阜，以前曾經做過韋康的從事〔注六〕。於是邀同十幾個人，計劃要替韋康報仇。他們想請姜敍的母親，叫姜敍出兵去攻打馬超。於是跑去歷縣拜候姜敍的母親。把韋康被殺害和冀縣被攻陷的情形，敍說給姜敍的母親聽。說罷，馬上相對哭起來，哭了好久。

姜敍的母親，看得不忍；馬上就把姜敍叫來訓斥他、說：「韋刺史的遇害，固然是一州的耻辱；但是，你的耻辱却更大。你如果不去替韋刺史報仇，你眞沒有顏面在社會上做人。你不要怕死。一個人，誰都會死。死國，是最忠義的、最光榮的。你應該趕快發兵去攻打馬超。至於我，你更不必有所顧慮。我遲早是要快死的人，不必爲了我而連累你的忠義。」說完，就馬上勒令姜敍去和楊阜商議發兵的事。

商議結果，姜敍馬上出兵去攻打馬超。馬超得到消息，就帶兵向歷縣攻過來。結果，把姜敍打敗了，姜敍被擒。馬超進到歷縣，逮捕到姜敍的母親。姜敍的母親，見到馬超，大罵道：「你是個違背父親志向的逆子，殺死國家忠臣的反賊。你不快點自殺，還有什麼面目去見世人？」馬超聽了大怒，馬上把她殺死。也殺死了姜敍。然後放火焚燒歷縣全城。

事後楊阜等把情形報告給曹操聽。曹操聽了，非常嘉許姜敍的母親的這種忠義行誼。馬上就下手令褒揚說：「姜敍之母，勸敍早發。明智乃爾。雖楊敞之妻〔注七〕，蓋不過此。賢哉賢哉！良史記錄，必不墜於地矣。〔注八〕

〔注一〕天水郡　在現在的甘肅省甘谷縣西南。

〔注二〕冀縣　在現在的甘肅省甘谷縣東邊。

〔注三〕涼州　州名。就是現在的甘肅省。

〔注四〕信都國　國名。（「國」是「郡國」的「國」。）在現在的河北省。

〔注五〕歷縣　在現在的河北省故城縣北邊。

〔注六〕從事　官名。州刺史的助理官員。包括：別駕、治中、主簿、功曹、書佐、簿曹、兵曹、部郡國從事史、典郡書佐。

〔注七〕楊敞之妻　大將軍霍光和車騎將軍張安世，商量要廢昌邑王而立宣帝。商量好了，派人去告訴楊敞。楊敞素來膽小，一聽，嚇得說不出話來，只管流冷汗。他的夫人看到這種情形，就助他的膽說：「這是國家大事。大將軍他們商量好了，來告訴你。你不趕快答應，還猶豫什麼呢？」

〔注八〕這幾句話的語譯是：姜敘的母親，勸姜敘趕早發兵去攻打馬超。這是非常明智的決定。就是楊敞的妻子，也不會超過她的明智。眞是賢良呀！眞是賢良呀！好的史官，一定會記錄下來，她的聲名就永遠不會衰落了。

47 趙月的母親

馬超反叛漢朝，抓住趙昂的兒子趙月做人質。姜敍和趙昂商議去討伐馬超。趙昂對他的妻子說：「我很想和姜敍去討伐馬超。可是，我們的兒子，被馬超抓在他那裡做人質。我一有行動，我們兒子的命就不保了。那怎麼辦呢？」趙昂的妻子（趙月的母親），斷然地說：「爲了洗雪君父遭受背叛的大恥辱，就被砍掉成千成萬人的頭，也沒有關係。何況是小小的一個兒子呢？」趙昂聽了，就馬上決定和姜敍共同去討伐馬超。馬超得到這消息，馬上就把趙月殺了。

三國

48 羊琇的母親

羊琇的母親，姓辛，名憲英。潁川郡（注一）陽翟縣（注二）人。是侍中辛毗的女兒。太常泰山郡（注三）的羊耽的妻子。

當鍾會做鎭西將軍的時候，辛憲英就看出了鍾會的有野心。她當時問侄兒羊祜、說：「鍾會爲什麼要向西進兵？」羊祜說：「要去攻打蜀國。」辛憲英說：「鍾會的性情非常放縱，是一個不甘心居於人下的人。我看他總有一天要謀反的。」羊祜說：「叔母最好不要多說話。」

後來鍾會請辛憲英的兒子羊琇做參軍。辛憲英非常憂慮。她說：「前些時，我看到鍾會的舉止，很替國家擔心鍾會會謀反。現在他却要我兒子做參軍。眞是禍患加到我家裡來了。我看這禍患是逃不脫了。」說著，她就叫兒子去向丞相司馬昭辭去這職位。但是，司馬昭不准。不得已，羊琇只好去到職。行前，羊琇的母親囑咐羊琇、說：「你不得不去。可是，你雖然去了，却要時時處處存警戒心。做人有原則。古時候的君子人，在家非常孝順父母，出到國家做事就爲國盡忠。對於職責要恪守。對於義不義要明辨。總而言之，所作所為，不能夠給父母增加憂慮。至於在軍旅之中，能夠通暢無阻地行得通的，只有『仁』『恕』兩個字。希望你要時時刻刻謹慎做人做事。」

由於母親的這番教訓，羊琇後來果然能夠在鍾會謀反的情形下，保全了自己的身命。他的母親到七十九歲才去世。

〔注一〕潁川郡　在現在的河南省中部和南部一帶地區。
〔注二〕陽翟縣　在現在的河南省。
〔注三〕泰水郡　在現在的山東省泰安、東阿、東平、滋陽、寧陽等縣一帶地區。

49 王經的母親

魏高貴鄉公曹髦，將要討伐有謀朝篡位居心的丞相司馬昭。他把這事告訴侍中王忱，尚書王經，散騎常侍王業。王忱、王業知道了這事，趨炎附勢，都跑去通知司馬昭。王經却不去。事後，曹髦失敗，被司馬昭殺害；王經自然要被處死。當王經被捕，辭別母親的時候，母親不但沒有一點悲傷，而且笑著說：「一個人，誰沒有死？死，有什麼要緊？要緊的是怕死得不合道義，不光不彩。像你經兒這樣光榮的死，那是非常難得的。我們求之不可得。還有什麼難過呢？」

50 許猛兄弟的母親

鎮北將軍高陽縣〔注〕籍的許允，被丞相司馬師殺害之後，許允的門生跑去告訴許允的妻子阮氏。阮氏正在機布，聽了之後，神色不變。然後說：「這是我和許將軍早就打算好了的事。忠臣不怕死，怕死非忠臣。」

門生想要帶她的兒子們許猛兄弟去躲藏起來。她說：「我知道司馬師他們的心是很毒的；但是這幾個小孩子，這一下子却是不會有什麼關係的。」

事後，阮氏帶着許猛兄弟們住去她丈夫的墓地的住所。司馬師派鍾會去察看她們的情形。主要的是要察看那幾個孩子，是不是有他們爸爸一樣的才具？有，便要斬草除根；沒有，就饒過算了。阮氏又早知道司馬師他們的用意。於是事先教訓孩子們，不可以顯露聰明，要裝得非常愚蠢；却又不可以露出馬脚。孩子們都是像爸爸一樣能幹的孩子，自然對母親所交代的，全都做得到。

鍾會到了她家，左查右問，左試右探，左引右誘；反反復復，總見得那些孩子實在太過愚笨。回去把情形告訴司馬師。司馬師就把他們放過了。

〔注〕高陽縣　屬琅邪郡。在現在的山東省高密縣西北。不是現在的高陽縣地區。

51　鍾會的母親

鍾會的母親，姓張，名昌蒲。太原郡〔注一〕人。是太傅鍾繇的妻子。性情謹愼莊重。教訓兒子，非常有方法。鍾會幼小的時候，她就管教得很嚴。鍾會四歲，她就教他讀孝經。七歲就讀論語。八歲讀詩經。十歲讀書經。十一歲讀易經。十二歲讀春秋左傳和國語。十三歲讀周禮禮記。十四歲讀成侯易記。十五歲就進入太學，求更高深的學問。這時，鍾會的母親，對鍾會、說：「讀書太讀雜亂煩瑣了，讀的人就會感到疲倦。感到疲倦，就勢必懶得讀。讀書到了懶得讀，那就完了。所以，我教你讀書，就是要避免雜亂煩瑣。現在你就可以獨立自學了。」

鍾會的母親，自己也很喜歡讀書，也讀書讀得很多。特別是喜歡讀易經和老子。她每次讀到易經裡面的「鳴鶴在陰〔注二〕」「勞謙君子〔注三〕」「藉用白茅〔注四〕」「不出戶庭〔注五〕」那些地方，也就一定要叫鍾會反復誦讀。她說：「易經有三百多爻，孔子特別提出這些來說，是因爲這些都是講謙讓、恭敬、謹愼、嚴密的道理的。對行爲的動機，做人的重點，個人前途的榮辱，都有特大的關係。順着這些去做，就會成君子；反著這些去做，就會成小人。」

正始八年，鍾會做尚書郎。他的母親抓住他的手敎訓他、說：「你年紀輕輕的，就做了這麼大的官。你應該感到非常滿足。爲果狂傲不知足，那，損害的機發，就暗藏著。你應該特別注意。」

這時，大將軍曹爽專朝政。每天縱酒沈醉。鍾會的哥哥侍中鍾毓，從朝廷回來，將情形禀告他的母親。他的母親說：「曹爽那樣的行爲，快樂是快樂；但是，一定不能持久。要持久，只有在高位而不驕縱，有節制，有限度。曹爽那樣的行爲，不是長守富貴之道。」

嘉平元年，齊王曹芳去朝高平陵。鍾會那時候是中書郎，隨從齊王去朝。京城裡的丞相司馬師就發動政變。大家都非常恐懼，鍾會的母親却滿不在乎。中書劉放，侍郎衞瓘、夏侯和等人，都覺得奇怪。都向鍾會的母親、說：「你的兒子鍾會，跟著齊王在危難之中，你怎麼沒有半點憂愁呢？」鍾會的母親回答說：「大將軍曹爽，這樣奢華專橫，自然是使丞相不滿。我看丞相決不是一個危害國家的人。他的發動政變，目標一定是曹爽，而不是齊王。我的兒子在齊王身邊，有什麼可憂慮的呀？由我所聽到的丞相的出兵情況判斷，他並沒有長久作戰的打算。變局很快就會結束的。」結果，全爲鍾會的母親所料。大家都非常佩服她判斷事情的高明。

鍾會擔任朝廷的機要工作十多年。常常參與國政。他的母親告誡他、說：「從前范氏的少子，替趙簡子謀劃伐邾。事情成了功，國人也非常高興。可以說是立了功了。但是他的母親，以爲這只是設計欺詐，是一種卑鄙的事；那價値，是不能持久的。范氏少子的母親的那種識見是高遠的，不是淺薄的人所能見得到的。我很欣賞她的那種識見。你居心很正大光明，我知道我一定可以免禍。但是，還要立志加勉，要多做些對社會有益的事情。那才不會忝辱先人。至於日常的瑣事，也還是要注意。」

做大官要注意小事。說到這點，有人就說：「這就未免太落小了。」鍾會的母親不以爲然說：「君子人的行爲，都是積聚一切低小的行事而形成高大的行事的。如果以爲小善是無益的事而不去做，那是大大的錯誤。好高騖遠，我生平不喜歡。」鍾會從小就非常節儉，沒有吃好的穿好的。家庭瑣事，常常操作。他做官所得的賞賜，錢帛數以百萬計，他都轉贈給公家，自己分文沒留。

〔注一〕太原郡　大致是現在的山西省中部一帶地區。

〔注二〕鳴鶴在陰　這話在易經中孚卦和繫辭傳上裡面。

〔注三〕勞謙君子　這話在易經謙卦裡面。

〔注四〕藉用白茅　這話在易經大過卦裡面。

〔注五〕不出戶庭　這話在易經節卦裡面。

52 徐庶的母親

劉備退守在新野縣〔注〕的時候，曹操派遣將領帶兵攻打他。那個時候，徐庶變更姓名，叫單福，替劉備劃策。結果打敗了曹軍。曹操知道這是徐庶的計謀。心想：這樣的一個人才，被劉備攬用了，實在可惜；於是就動腦筋，要把徐庶從劉備那邊挖了過來。曹操知道徐庶很有孝心，於是就派人去把徐庶的母親騙來做人質。騙到之後，曹操就逼迫她寫信去徐庶，要徐庶到曹操這邊來。曹操那個時候是有謀朝篡位的居心的奸臣。全國人沒有人不知道。徐庶的母親是個忠義的人，怎麼肯寫信？曹操沒法，只好用計騙得徐母的筆跡，叫善於仿造筆跡的人，仿造了一封「認為是徐庶的母親所寫的」的假信，送去給徐庶。徐庶沒有注意到這點，接到信後，放聲大哭。馬上就辭別劉備，到曹操那邊去。劉備也因為徐庶是尊母命，不便強留。

到得曹操那裡，徐庶去拜見母親。母親大吃一驚。問明緣由，才知道是中了曹操的騙計。徐庶的母親大怒，責罵徐庶棄順即逆，棄明投暗。責罵後，不聲不響地走進臥室，自縊而死。

徐庶受了這個打擊，內心痛恨萬分。所以，雖然一直在替曹操辦事，却從沒有拿出眞心來替曹操策劃一件計謀。直到現在，還有「吃曹家飯，不管曹家事。」的諺語。就是指的徐庶說的。

〔注〕新野縣　在現在的河南省。

53 孫策、孫權的母親

孫策、孫權的母親，姓吳。是孫堅的妻子。孫策、孫權是她的長子、次子；另外還有兩個兒子孫翊、孫匡。

孫堅在漢獻帝的時候，做到刺史。孫策在孫堅死後，也慢慢做到太守。後來又慢慢發展，所有江東地區，就都被他控制。孫權年輕，但是，很有才略。所以，孫策死後，他以孫策的成就為基礎，在曹丕、劉備都稱了帝之後，他也稱帝。

孫策做太守的時候，部下有一個功曹魏騰，在一件事情上，違反了孫策的意思，孫策很不以為然。就決定要殺他。同事們覺得魏功曹並不是一個壞人，殺掉未免可惜；於是都想救他。但是，大家想不出救的辦法。直接去諫孫策，就連自己的命也難保。在無計可施的緊急關頭，就想到了去求孫策的母親。孫策的母親，也知道魏功曹很好，也不贊成殺他。於是就去阻止孫策。在口說幾次沒有效果之後，她就跑到孫策看得見的一口大井的旁邊，然後對孫策，說：「你現在在江東新近有點發展，前途怎樣？還不可料。你應該儘量禮賢下士，捨過錄功，諒短取長。不能因為部下對自己有點小拂意，就任自己的性。如果這樣，就看著要失敗。魏功曹為人，盡職負責。你今天殺他，明天所有的人，都要背叛你而離去。到了衆叛親離的時候，你就走投無路了。我不忍心看到你這步下場，所以，我今天就先投井死去。」說著，就眞的要去投井。孫策看了大驚。趕快跑過去跪下把母親拉住。

結果，魏騰才被赦免。

孫權繼承孫策的事業的時候還年輕。雖然他很有才略，總難免不老練。一切軍國大事，他的母親從旁幫助處理的場合非常之多。

54 太史慈的母親

太史慈在做公務員的時候，因爲幫自己的長官一點忙而得罪了上級長官。他怕上級長官報復，因此辭職不幹而跑去遼東郡（注一）躲避一個時期。

北海相孔融，原和太史慈不相識。看到他這次幫自己長官的忙的義氣和機智，對他非常欣賞。因此，在他躲避的一段期間裡，常常派人去問候他的母親，並且每次都贈送很多很好的東西。

那時候，黃巾賊非常暴亂。孔融帶了兵駐在都昌縣（注二）防守。不料賊勢很大；都昌縣城被管亥賊頭帶的賊兵包圍。剛剛那個時候，太史慈從遼東郡回來。他們都曉得都昌縣被賊兵包圍的消息。於是，太史慈的母親，就對太史慈、說：「你和孔融先生沒有交情。但是，你去了遼東郡之後，他却比你的老朋友還更殷勤地派人來看望我，又送我東西。他現在被賊兵包圍著，你應該前去幫他一點忙才對。」太史慈雖然沒有不願去的意思，但是想到：要通過賊兵的圍地進城去，說不定爲了請救兵，又要突圍出城來。那種冒生命危險的事，想起來，多少有點可怕。

他母親看到他有點猶豫不決，就教訓了他一些「義氣重於一切」的做人道理。於是，他毫無難色地毅然決然去了。

結果，爲了去請劉備的救兵，不知冒了多少生命的危險，才達到了解圍的目的。

事後，孔融千謝萬謝。一再地說：「你眞是我的好朋友！你眞是我的好朋友！」太史慈回家把情形稟告母親，母親也說：「你這次報答了孔融先生的恩惠，我眞是太高興了。」

〔注一〕遼東郡　就是現在的遼寧省東南部遼河以東的地區。

〔注二〕都昌縣　屬北海郡。在現在的山東省。

55 徐琨的母親

徐琨的母親，姓孫。是孫堅的女兒。

孫策在當利浦〔注一〕的口子上攻擊張英的軍隊的時候，因爲渡船很少，沒有法子過江；於是就想把軍隊駐紮下來，再去找更多的船。那個時候，徐琨擔任偏將軍。徐琨的母親也在軍中。她對徐琨、說：「駐下軍隊找船，怎麼行呢？爲果敵人發水軍來攻擊，我們駐在這裡不渡江，就太危險了。沒有船，可以割蘆葦紮成箄來代船呀！」

徐琨將這方法向孫策報告。孫策馬上命令照行。結果全軍都很快地渡過了江。爭取了時機，把張英的軍隊打敗了。孫策於是上表表揚徐琨，徐琨就被升做丹陽郡（注二）太守。

〔注一〕當利浦　在現在的安徽省和縣東南。

〔注二〕丹陽郡　在現在的安徽省。

56　孟宗的母親

孟仁，原叫「孟宗」。因爲避孫皓的字（「亢宗」或「皓宗」）的諱，所以改叫「孟仁」。孟宗，就是二十四孝裡面「孟宗哭竹冬生筍」的那孟宗。他在吳國做官，最高做到司空。

他少年時候，在南陽郡（注）的李肅那裡求學。他的母親給他做大兩三倍的墊被和蓋被帶去學校應用。有人問他的母親、說：「爲什麼做這麼大的被？」他的母親說：「碰到有朋友來住宿，就可以睡在一起；比分開來睡，更能夠增加感情。」

孟宗起初在驃騎將軍朱據那裡做軍吏小官。任內帶着母親在一起生活。住的房子，一下雨就上漏下濕。想起生活那麼苦，官又那麼小，遇到夜晚下雨，床上就被漏得沒法睡覺；因此，每當夜晚漏雨坐著等天亮的時候，越想越傷心，就不禁哭了起來。一天亮，就去向母親謝不爭氣的罪。母親就鼓勵他、說：「你自己勉勵自己，力爭上游，就會有志竟成的。哭有什麼用呢？」

孟宗後來做鹽池司馬。是管漁業的官。他自己結網，打些魚，做成魚鮓（醃魚、糟魚之類），寄給母親。母親都把來寄還給他。等見面的時候，母親說：「你做魚官而把魚鮓寄給我，就不是假公濟私，也要避避嫌呀！」

〔注〕南陽郡 是現在的河南省西南部和湖北省北部的一帶地區。

57 李某的母親

李某的母親，姓習。襄陽郡〔注一〕人。是李衡的妻子。李衡做丹陽郡〔注二〕太守，總想把家庭搞得很富有。習氏却總是不以爲然。李衡懶得跟妻子淘氣，就秘密派人在武陵郡〔注三〕龍陽縣〔注四〕的一個河邊沙土地區，起了一棟房子，叫一些人住在那裡栽種好品種的橘子樹一千多株。這收入就大有可觀了。

習氏一直不曉得這事。她的兒子曉得，也不敢告訴母親。等到李衡死了之後，他的兒子才告訴母親。習氏却並不高興。正相反，她却教訓兒子、說：「一個人，只怕沒有德義，不怕不富有。尤其是：做了高官却還是非常貧窮，那是最好不過的事。」

〔注一〕襄陽郡　在現在的湖北省。

〔注二〕丹陽郡（見第55篇的「注二」。）

〔注三〕武陵郡　在現在的湖南省。

晉朝

58 杜韡的母親

杜韡的母親，姓嚴，名憲。京兆郡〔注一〕人。是杜有道的妻子。爲人貞節賢淑而有見識器量。十三歲嫁給杜有道，十八歲就守寡。生了一個兒子杜植，一個女兒杜韡。都很幼小。而她自己也非常年輕。但是，她，性情貞節，誓不改嫁。結果，撫育教誨這兩個孩子，男孩子也非常有成就，女孩子也非常賢淑而有高尙的品德。

傅玄向她請求，要她的女兒杜韡做繼室。她馬上就應允。那個時候，何晏、鄧颺他們非常有權勢，傅玄却和他們不和睦。因此，何晏他們，總想陷害傅玄。當時的人，看到這種情形，沒有要跟傅玄結親戚的。現在杜韡的母親，却應允傅玄的婚事，杜家的親戚朋友，沒有一個不替杜韡的母親擔憂。因此，他們大家都勸杜韡的母親、說：「何、鄧他們的權勢那麼大。他們要陷害傅玄，簡直就像泰山壓卵，或是用開水潑在雪堆上一樣。傅玄還有什麼辦法？你却應允傅玄的婚事。這是爲什麼呢？」杜韡的母親說：「你們只看到一面，沒有看到另一面。何晏他們，雖然權大，但是他們非常驕傲奢侈。這是很快地就會自己慘敗的。太傅司馬懿是一頭睡獅。等得他醒了，卵破雪銷的，就大有人在。到那時候，就恐怕不是傅玄做卵做雪了。」因此決意和傅玄結姻親。

後來，何晏、鄧颺他們果然被司馬懿誅滅。杜植後來做到南安郡〔注二〕太守。

〔注一〕京兆郡 是現在的陝西省長安縣西北的一帶地區。

〔注二〕南安郡 就是現在的甘肅省舊鞏昌府所轄地區。

59 鄭默的母親

鄭默的母親，姓曹，魯國〔注一〕薛縣〔注二〕人。

鄭家歷代都有人做卿相高官。鄭默的父親鄭袤，也做到了司空。鄭默的母親有六個兒子鄭默、鄭質、鄭舒、鄭詡、鄭稱、鄭予。鄭默最後做到了光祿勳。其餘五個兒子，最後也是做到了卿相高官。

家庭這樣榮貴，時人非常稱道；但是，鄭默的母親，却總是生怕盛滿。每次當到鄭默他們升官的時候，她就滿面憂愁，告誡兒子們「滿招損」的道理，要兒子們謙虛、節儉。她自己日常的生活，總是粗菜淡飯，布衣粗裙；從來沒有吃過好的，穿過好的。丈夫鄭袤，兒子鄭默等所得的俸錢，她總是全部把來散給親姻。除了最低的生活費外，家裡從來沒有餘錢。鄭默等做官的時候，廉潔慈祥；鄭默更被比作汲黯。這都是受了母親的影響的緣故。

〔注一〕魯國　在現在的山東省。（「國」是「郡國」的「國」。）

〔注二〕薛縣　在現在的山東省。

60 羊發的母親

羊發，官做到都督淮北護軍。他的母親是北海相孔融的女兒。他的母親死後，他的父親娶了一位繼室。是蔡邕的女兒。羊發這位繼母，生了羊承、羊祜。

有一次，羊發、羊承都得了重病。羊發的繼母，因爲精力、財力都不夠條件同時看護到兩個兒子都得到痊愈；她就把那要分成兩份精力、財力合併成一份，用來專心看護羊發而放棄自己的兒子羊承。結果是羊發好了而羊承死了。

61 裴秀的母親

裴秀，河東郡〔注一〕聞喜縣〔注二〕人。後來官做得很高。最後做到左光祿大夫。被封爲鉅鹿郡〔注三〕公。

裴秀幼小時候就很好學。同時，小小年紀，就很有風操。八歲就會寫文章。他的叔父裴徽，當時有很大的名氣。前來拜會裴徽的客人，非常的多。當裴秀十幾歲的時候，他也很出名。所以，前來拜候他叔父的客人，都會順便來拜候他。

裴秀的母親在家庭裡是妾的身分。身分很低微。裴秀的嫡母，對待裴秀的母親，非常不禮遇。客人來了，端菜端飯的工作，都叫裴秀的母親去做。但是，每個客人看到，都感到「不敢當」。當裴秀的母親端菜飯來的時候，大家都起立表示對她的尊敬。這當然是人家尊重她。因爲，沒有她的對裴秀的良好教誨，就不會有一個被人敬重的裴秀。可是，她，却仍舊說：「自己這麼身分低微，却承蒙客人們看得起。這全是我的兒子有點小本事之故。」

裴秀的嫡母，聽到了這種情形，以後就再也不敢對裴秀的母親不禮遇了。

〔注一〕河東郡　在現在的山西省西南角上、濕、汾西、沁源各縣以南，安澤、沁水各縣以西的一帶地區。

〔注二〕聞喜縣　在現在的山西省絳縣西邊。

〔注三〕鉅鹿郡　在現在的河北省。

62 衞瓘的母親

衞瓘的父親衞覬，是魏國的尙書。衞瓘承襲他父親的關係，在二十歲的時候，就做了魏國的尙書郎。雖然他很能幹；但是，做尙書郎是辦理某些全國性的重大政務的。年紀輕輕，總恐怕有隕越。何況當時魏國的法律，非常的嚴苛。一下子不好，就有生命的危險。所以，衞瓘的母親，非常擔憂他擔任尙書郎那個職務。要他去請求調個別的職務；就對做官的前途有影響，也沒有關係。衞瓘聽了母親的話，就去自請調爲通事郎。通事郎是管草擬詔書的事務的，隕越的危險性就小了。

果然，衞瓘在這個職位上，就做得很好。那時，權臣專政，很難應付。衞瓘却優游其間，無所親疏，應付得面面周到，非常圓全。畢竟，尙書傅嘏非常看重他。稱贊他是「甯武子」。論語（語譯）：孔子說：「甯武子這個人，在國家上下和衷共濟的時候，他就很聰明；在國家上下意見紛歧的時候，他就很愚蠢。他那種聰明，別人有人趕得他上的；他那種愚蠢，只是裝傻，輪在沒有沈著性格的人，就趕他不上了。」

衞瓘的能夠獲得「是甯武子」的稱贊，他的母親對他的敎誨的關係是很大的。

63 趙至的母親

趙至十三歲的時候，同母親寄居在河南郡（注一）郡治的洛陽縣（注二）城裡。河南郡緱氏縣（注三）的縣令初到官。在洛陽縣城裡威風凜凜地從大街上經過。趙至和他的母親都在人叢裡觀看。母親看到縣令的那種威風情形，非常感動；因此，對趙至、說：「我們的祖先，本來也是很高貴的，並不微賤。因爲世亂流離，上進困難；所以就搞得現在的這樣地位低微。你以後，能不能夠力爭上游，做到像那縣令那樣的有地位呢？」

趙至聽了母親的話，非常感動，就立志從師求學。後來雖然不曾做到高官；但是，在德操、文學方面，還是有相當的成就。

〔注一〕河南郡　（見第33篇的「注三」。）

〔注二〕洛陽縣　在現在的河南省。

〔注三〕緱氏縣　在現在爲河南省偃師縣南邊。

64 韓伯的母親

吳隱之是一個孝子。十幾歲死了父親，就哭得傷心傷意；過路人聽到了，都不禁跟着他哭。後來死了母親，更是哭得死去活來；叫別人聽了，同聲下淚。他和太常韓伯是鄰居。韓伯的母親，是殷浩的姊姊，是一個極賢明而富有同情心的女人。每次當她聽到吳隱之的哭聲，就飯也吃不下，也跟著哭。她覺得這種仁厚的人，為果能夠做高一點的官，受惠受澤的人，就將相當的多。所以，她叮囑韓伯、說：你將後如果能夠做到卿相性質的官，對於吳隱之這種人，一定要舉用。」

後來，韓伯果然做到了吏部尚書。記起母親的話，就舉用吳隱之。而被舉的吳隱之也果然不負所舉，做官一直為民謀福利；而自已身家，却極端刻苦。一直到做非常高的官，都是一樣。

65 皇甫謐的所後叔母（注一）

皇甫謐原是安定郡（注二）朝那縣（注三）人。跟著出後（注四）叔父遷住新安縣（注五），所以是新安縣人。幼少的時候，不喜歡讀書。一直到二十歲，還是遊手好閒。他家的親戚朋友們，都說他是白癡。他在外面游蕩的時候，得到了瓜果之屬，就拿回去孝敬他的所後叔母任氏。任氏有一次對他說：「孝經說：『就是對父母有三牲的奉養，也不能算是有孝心的兒子。』你常常拿一點瓜果給我，却到了二十歲還不知道讀書求上進。這怎麼能夠安慰我呢？」說完之後，又自言自語地歎氣說：「從前孟子的母親，三遷教子；孟子結果成了偉大人物。曾子的父親，烹猪肉教子；曾子結果也成了偉大人物。謐兒今天這樣不成材，難道是我沒有選擇好鄰居居住，沒有教誨他教得很合法度嗎？爲什麼他竟會這樣的不成材呢？」說著說著，又轉向皇甫謐、說：「你讀好了書，將來有前途，是你自己好。對我有什麼好處呢？我到了這麼多年紀了，還等得到你有成就而給我享福嗎？」說過之後，幾乎要流下眼淚來。

皇甫謐看到叔母這樣，實在很感動；因此，從此以後，就開始發憤。從鄉人席坦求學。奮發努力的結果，後來非常有成就。很有的名高士傳，就是他編的。另外還編著了好多有名的書。他的學生摯虞、張軌、牛綜、席純，都是晉朝的名臣。

〔注一〕所後……　接受別人來做自己的傳代的兒子的那……

〔注二〕安定郡　在現在的甘肅省東部平涼縣以東一帶地區。

〔注三〕朝那縣　在現在的甘肅省。

〔注四〕出後……　接受「出離自己的親生父母的人」來做傳代的兒子的那……

〔注五〕新安縣　屬弘農郡。在現在的河南省。

66 潘岳的母親

惠帝的皇后賈氏，是一個大淫婦。常常派人去民間找美男子到皇宮裡姦宿。姦宿之後，有的被放走，有的被殺害。賈謐是賈皇后的爸爸賈充的養子。藉著賈皇后的權勢（惠帝很懦弱。），在朝廷裡專橫到了極點；用一些奸人，把朝政搞得一團糟。好多忠臣，都被殺害。賈謐這樣的一個人，潘岳、石崇他們一批人，却去諂媚他。賈謐有所謂「二十四友」，潘岳就是其中的一個，而且是為首的一個。

潘岳是當時一個大文人。這樣無恥。他的母親就常常責罵他。他的母親說：「你應該知足。不要去投機取巧，和一些奸人打交道。這樣，會沒有好下場的。」潘岳却不聽。

後來趙王司馬倫，起兵殺了賈后。樹倒猢猻散。孫秀做中書令。誣蔑潘岳和石崇他們一批人，陰謀作亂。因而被處死。行刑之前，潘岳和他的母親見面、說：「我眞對不起母親！」

67 陶侃的母親

陶侃的母親，姓湛。豫章郡〔注一〕新淦縣〔注二〕人。是陶丹的妾。生下陶侃之後，陶侃還在幼年的時候，陶丹就去世了。因此，家境一天天貧窮。但是，她，一直能夠刻苦耐勞，做些紡紗、績麻的工作，賺點微薄的收入，維持家庭生活。雖然是這樣，她卻仍舊可以積下錢來，拿給陶侃做交際上的用度；讓陶侃去交結一些益友。陶侃的朋友，來到了家裡，她更是招待得出奇週到。

鄱陽縣（注三）有一個孝廉叫范逵的，有一次，借住在陶侃的家裡。剛剛碰到下大雪，什麼東西也買不到。范逵的馬餓了，沒有法子買飼料給牠吃。陶母就把一幅新的禾草床墊子，撕開來剉禾草小條給馬吃。至於人，客人表示已經吃過了晚飯；陶侃因爲太窮，也就不多作虛套。

第二天雪停了，客人要走。陶侃也因爲太窮，不敢太過強留。陶母卻堅意要留客人吃了飯再走。陶侃心想：母親拿什麼來待客呢？不想陶母卻暗地裡剪下自己一些頭髮，做成兩綹假髮去賣些錢（注四），用來買酒肉待客。使得賓主盡歡而別。

范逵事後知道了這兩件事，稱讚不已。到處逢人說項斯。使陶侃在事業方面，得受助益不少。

陶侃少年時期做尋陽縣（注五）小公務員的時候，做過漁業管理人員。有一次，他拿了公家一瓦罐的鹹魚乾寄給母親。陶母接到之後很生氣。原封不動地把魚乾寄還給陶侃。並且附了一封信責備陶侃不該有這種行爲。信的大意，是：你把公家的東西，拿來送給我，不但不會對我有好處，而且反而會增加我的憂慮；憂慮你將會養成貪汚的習慣而搞得身敗名裂。

陶侃在武昌縣（注六）工作的時候，喝酒有一定的杯數限制。因此，在和好朋友喝酒的時候，常常是喝得非常痛快的時候，陶侃的杯數限制就到了。有一次，殷浩他們勸陶侃可以稍微改變一下限制的數字，稍微加喝幾杯。陶侃聽了，心裡感慨萬千；越想心裡越悲悽。沈默了好久，然後說：「我年輕的時候，曾經因爲喝酒而誤過大事。先母當時曾經對我有過嚴正的訓戒約束的話。我不敢違背先母的話而把杯數的限制放寬。」

〔注一〕豫章郡　在現在的江西省南昌縣、新建縣、新淦縣……一帶地區。

〔注二〕新淦縣　是現在的江西省、新淦縣。

〔注三〕鄱陽縣　屬鄱陽郡。在現在的江西省。

〔注四〕假髮賣錢　舊時的假髮，不像現在可以用尼龍做；都要用人的頭髮做。當然可以賣錢。不但可以賣錢，而且賣得很貴。都是有錢人家的小姐、少奶買。（因爲有錢人家的小姐、少奶，半多身體衰弱，頭髮脫落。）不過，賣頭髮的人，也不是出於萬不得已就不肯賣。

〔注五〕尋陽縣　屬廬江郡。在現在的江西省九江縣西南。

〔注六〕武昌縣　屬武昌郡。在現在的湖北省。

68 卞眕兄弟的母親

蘇峻作亂。國家戡亂的軍隊打敗仗敗得很厲害。領軍〔注一〕卞壼〔注二〕，非常憤恨。打到剩最後幾個人，他還是不退。兩個兒子卞眕、卞盱，也跟著爸爸力戰。結果，父子三人，都被殺死。

戰後，三個人的尸首被收了回來。卞眕兄弟的母親裴氏，雖然對著尸首悲傷大哭；但是，她却邊哭邊說：「父親做了忠臣，兒子們做了孝子。雖然犧牲了一家人，却還是沒有絲毫遺憾的。」

〔注一〕領軍　官名。各朝代的職責稍有不同。大致相當於現在的陸軍總司令。

〔注二〕壼　音ㄎㄨㄣˇ。不是「壺」字。

69 江蕤的祖母〔注一〕

江蕤十一歲的時候，喜歡賭摴蒲〔注二〕。這是一個非常難得戒除的惡習。江蕤的祖母，不知道教訓了江蕤多少，江蕤總是絲毫改不了。祖母於是換個方式，說些因爲賭摴蒲而搞得傾家蕩產、走投無路、身敗名裂的故事給江蕤聽。江蕤那才聽得很感動，把賭摴蒲的惡習戒絕。自後，終一生不再有過賭摴蒲或類似的行爲。

〔注一〕蕤　音ㄖㄨㄟˊ。

〔注二〕摴蒲　摴音ㄔㄨ或ㄕㄨ。摴蒲，或寫作「摴蒲」「摴博」。古時候的一種賭博。賭博雖然基本上是下流的事；但是，還是有分「上流」「下流」。（現在也一樣。）摴蒲是一種下流的賭博。所以，陶侃說：摴蒲是一種牧豬奴玩的玩意兒。

70 劉琨的母親

劉琨做并州〔注〕刺史的時候，由於忌才，借題殺害令狐盛。劉琨的母親警告劉琨、說：「你自己不能力爭上游，和當世英雄豪傑並駕齊驅；却要假借罪名來殺害才能超過你自己的人。你這樣做，如果不痛切悔改，總有一天會身敗名裂的。到那時候，我們做父母的，也要受你的連累而遭到禍害。」後來，劉琨果然犯罪被處死。父母也被劉聰殺害。

〔注〕并州　就是現在的山西省太原縣。

71 虞潭的母親

虞潭的母親，姓孫。會稽郡（注一）富春縣（注二）人。是孫權的族孫女。嫁給虞忠之後，謹儉和順，非常有婦德。虞忠死的時候，虞潭非常幼小，孫氏也非常年輕。但是，孫氏矢志守節，教養虞潭。虞潭自小就受到忠義的教誨，所以後來成就很大，非常受朝廷的稱讚。

懷帝永嘉末年，虞潭做南康郡（注三）太守。杜弢正在那時候叛亂。虞潭帶兵去討伐杜弢。在出兵之前，虞潭的母親，再三勉勵虞潭：要有犧牲生命的忠義精神。除勉勵外，並且儘最大可能用自己的家財送給軍隊用去犒賞戰士。因此，結果，虞潭大勝回來。

蘇峻作亂的時候，虞潭在做吳興郡（注四）太守。他又奉命去討伐蘇峻。虞潭的母親，又在他出兵之前，訓勉他、說：「我聽說：忠臣出於孝子之門。你是我的孝順的兒子，你應該有『殺身成仁、捨生取義；』的精神。絕不要因為我年紀老而牽掛着我。」並且叫她家裡面所有的僮僕，都去助虞潭作戰。又賣掉自己的貴重衣物和裝飾用品，所得的錢，都用去散給軍中做犒賞費。

那個時候，有會稽郡的內史王舒，派他的兒子王允之來做都護（注五）。虞潭的母親又對虞潭、說：「人家王府君都派兒子來做都護。你為什麼不可以叫自己的兒子也來做都護？」虞潭聽了，就馬上叫自己的兒子虞楚也來做都護。兩個都護合力作戰，軍力大增。

虞潭的母親愛國的熱忱，由這些可見一斑。所以朝廷拜她爲武昌侯太夫人。宰相王導都不時去拜謁她。

〔注一〕會稽郡　是現在的江蘇省東部和浙江省西部一帶地區。
〔注二〕富春縣　就是現在的浙江省富陽縣。
〔注三〕南康郡　在現在的江西省贛縣、雩都、南康……等縣一帶地區。
〔注四〕吳興郡　在現在的浙江省。
〔注五〕都護　官名。負責討伐事宜的軍官。

72 劉惔的母親

劉惔是沛國〔注一〕相縣〔注二〕人。他的祖父、伯祖父、叔祖父，都做過卿相級的高官；父親也做過太守。但是他們都是做的清官；所以家境還是很貧苦。劉惔自己也是一個非常清高的人。他和母親任氏寄居在京口〔注三〕的時候，家裡非常貧苦。靠打草鞋去賣來維持生活。但是，劉惔，還是心情安適愉悅。在這種情形下，當然沒有多少人認識他。但是，宰相王導，却對他很器重。

後來在社會上稍微有點名望。有些人就把他比作袁羊（注四）。他很高興。回去告訴他的母親。他的母親說：「你不能和袁羊比呀！你不可以接受他們的比說。」又有人把他比作范汪（注四）。他又很高興。又回去告訴他的母親。他的母親又同樣地叫他不可接受。劉惔聽母親的話，自己不斷勉勵。等到後來他年紀大了，德行也可以了；就又有人把他比作荀粲（注四）。

〔注一〕沛國　在現在的安徽省。（「國」是「郡國」的「國」。）
〔注二〕相縣　在現在的安徽省。
〔注三〕京口　地名。現在的江蘇省、鎭江縣縣治。
〔注四〕袁羊、范汪、荀粲　都是清高方正的人。

73 何無忌的母親

何無忌的母親，姓劉。是征虜將軍劉建的女兒。她的弟弟劉牢之被桓玄間接害死。她記恨在心裡，總想報仇。但是自己沒有力量。因爲桓玄是一個篡安帝的位而自立的人，他的軍事勢力，可想而知。一個女人，怎麼能夠奈何他？

後來，桓玄自作孽，篡位之後，荒淫無道，引得全國民怨沸騰。何無忌就趁這情勢，和劉裕、劉毅他們商量討伐桓玄。何無忌當然不會把這件事告訴母親。可是，他的母親在他的動靜上，看得出他是在陰謀討伐桓玄。因此，心裡非常喜歡。有一天晚上，何無忌在屏風後邊草擬檄文。他的母親就偷偷地用東西蓋住蠟燭光，用一個櫈子承脚，站起來偷看何無忌的草擬。結果，全部情形知道了。於是她就流著眼淚摸著何無忌的頭、說：「我沒有東海呂母那樣的本事〔注〕，所以我總是怕我死得快，報不了仇。現在你來代我報仇。我眞是太高興了。」

於是就問何無忌：是和誰合作？何無忌答說：是劉裕、劉毅。她就高興得了不得。馬上就對何無忌說了好多「桓玄一定失敗，起義的軍隊必定勝利；」的道理；並且說了好多勉勵的話勉勵何無忌。

〔注〕東海呂母　呂母是後漢時候人。他的兒子在縣裡面做小吏。犯了一點小罪，縣令就小題大做，把他處死。呂母恨透了；於是就跑到一個海島上，招收一些亡命之徒。自稱將軍。帶領他們去攻打縣城。結果打勝了。抓到了那縣令。割了他的頭去墓上祭他的兒子。

74 朱序的母親

朱序鎮守襄陽城〔注〕的時候，苻堅派苻丕帶兵來圍攻城。事前不久，探得消息：苻丕將要攻城的時候，朱序的母親就親自去巡視了一遍城牆的堅固情形。看到西北角上的堅固程度太差；於是就帶領一百多婢女，另外還徵集了城裡好多壯健的少女，一同去到西北角上，築城三十多丈。

苻丕兵到，他們還是認定西北角比較脆弱；於是用主力攻西北角。結果，因爲新築城堅固的關係，苻丕的軍隊不得逞。耗了那麼大的力而攻不下，不但士兵疲倦，而且士氣也不振。城內乘勢出兵把他們一衝，他們就潰不成軍而退走了。

後來襄陽人都把這座城叫「夫人城」。

〔注〕襄陽城　襄陽郡郡治所在地。也就是：襄陽郡太守衙門所在地。襄陽郡，（見第57篇的「注一」。）

75 韋逞的母親

韋逞是晉朝末年五胡十六國裡面的前秦人。他的母親姓宋。是哪一郡人？現在不可考。宋氏的娘家，歷代都是以儒學著稱。她小時候就死了母親，完全由父親把她撫養長大。長大之後，她的父親教她研讀周官。並且告訴她說：「我們家，歷代是以研讀周官有心得而聞名遠近。周朝的官制，是周公所創立的。各種官的職責和全部官制的體系，製訂得非常完備。我現在沒有生男孩子，只好把這種寶貴的心得傳授給你。希望你好好地研讀，並發揮你的心得以積累更豐厚的心得，將來並向後代傳下去。使這門學術的研究成績，在我們家不致中斷。」那時候，雖然天下大亂，宋氏却仍努力研讀，研讀得非常有成就。

後來石虎（季龍）把他們這一地區的人，遷徙到山東去。宋氏的一家，也在被遷徙之列。她於是跟着丈夫，帶著兒子韋逞，推著鹿車（注一），背著父親所教授過的周官書和一些有關周官的研讀心得紀錄冊，一同遷去冀州（注二）。因爲家境貧窮，就去投靠膠東縣（注三）的富翁程安壽家。那個時候韋逞年紀還小。宋氏白天就去山上打柴，晚上就教韋逞讀書。而且一邊教讀一邊還是勤做紡織的工作。這種情形，使得富翁程安壽非常欽佩。常常贊不絕口說：「儒學世家總是會出有成就的人。韋逞將來的飛黃騰達，是可以預料的。」後來韋逞長大之後，果然學成名立，在苻堅的朝廷裡做太常（注四）。

苻堅有一次去巡視太學。看到太學辦得好像沒有起色；就問博士盧壼有關太學的情形。博士盧壼報告說：「太學式微太久，所有經典的講授，都非常零落。近年來我特別用力改進；其他經典的講授，目前很有起色。只有周官一門，找不到適當師資，所以就振作不起來。我聽說太常韋逞的母親宋氏，是儒學世家的後代。她父親傳授她周官音義，她研讀得非常有心得。現在她年紀雖然已經八十歲了，身體却非常強健；視力、聽力都沒有毛病。一定要請她來做周官這一部門的教授，這問題才能夠解決。」苻堅認爲說得很對；就實際進行。結果就在宋氏的家裡，設立講堂。設置生員一百二十人，參加研讀。宋氏隔著絳色的紗帳向各生員講授。結果成績非常良好。於是朝廷就給宋氏一個尊榮的稱號——宣文君。並且賜她十個侍婢。這樣，周官學才復興起來。

〔注一〕鹿車　只能裝載得下一隻鹿的極小的車子。

〔注二〕冀州　前秦所設置的州。在現在的山西省潞城縣東北。

〔注三〕膠東縣　就是現在的山東省平度縣。

〔注四〕太常　官名。九卿之一。掌管宗廟、禮儀等事宜。

76 李歆的母親

李歆是西涼國〔注一〕的後主。他的母親姓尹。是西涼開國主李暠的繼室。她性情慈和，對待李暠前妻的兒子，比對待自己的兒子還要好。李暠死後，李歆繼位，尊稱她爲太后。

北涼國〔注二〕主沮渠蒙遜和李歆有互相攻打的仇恨。那年，沮渠蒙遜帶兵去攻打別國，李歆就想乘虛去攻打北涼的張掖郡〔注三〕。太后尹氏認爲李歆這種軍事行動不妥，就告誡李歆、說：「你的國家是新近建立的。土地狹小，人民稀少。能夠自己守住，不被別國侵略，就已經是萬幸了；你却還想去攻打別國。那眞是不度德，不量力。左傳說：『不度德，不量力，……而以伐人。其喪師也，不亦宜乎？』你應該再三地思考這幾句話。你爸爸臨終的時候，殷勤告誡你：對於用兵的事，要再三再四考慮。不是萬不得已，決不能用兵。應該保境安民，靜靜等待天意的安排。你爸爸的話，言猶在耳。你爲什麼一點都不記得？沮渠蒙遜非常驍勇，又善於用兵。你實在不是他的對手。如果你要蠻幹，不但會喪師，而且會亡國。你要聽從我的話才好。」

但是，李歆完全不聽。別的近臣又有再諫的，李歆也是不理。那些人只有歎氣說：「國家快要完蛋了。我們只看得到軍隊的出去，看不到軍隊的回來了。」

李歆親自帶領步騎三萬人去攻打。沮渠蒙遜聽到了消息，就馬上放棄攻打別國而帶領軍隊回國抵抗李歆。結果，李歆被打敗。但是，還不是大敗。左右近臣就勸李歆把軍隊撤退回國。李歆憑一股憤氣，全不聽勸。他說：「我不聽老母的告誡，以致吃敗仗。我今天不殺死沮渠蒙遜回去，我就沒有臉面去見老母。」於是勒令各級兵將，再前進作戰。結果，大敗。自己也被敵方擒殺。

〔注一〕西涼國　晉朝末年五胡十六國裡面的一國。晉朝安帝隆安年間，漢人李暠割據秦、涼兩州，稱涼公。史稱「西涼」。有現在的甘肅省西北部一帶地區。在十六國裡面，是最弱小的一國。南北朝宋朝景平年間，被北涼國兼併。

〔注二〕北涼國　晉朝末年五胡十六國裡面的一國。匈奴人沮渠蒙遜背叛後涼，推段業做涼州牧。不久，又殺段業而自稱「涼王」。史稱「北涼」。有現在的甘肅省皋蘭縣以西的地區。後降後魏。

〔注三〕張掖郡　就是現在的甘肅省張掖、山丹等縣一帶地區。北涼沮渠蒙遜在這裡建都。

南北朝

77 劉裕的姨母

劉裕是南朝宋朝的開國主。就是宋武帝。他出生在一個極貧窮的家庭。出生之後母親就死了。家裡連吃飯都困難，當然就請不起奶娘。那個時候又不曉得可以餵牛奶。所以如果沒有善心人義務餵他奶，他就一定要餓死。

幸好他的姨母是一位善心人。她餵自己的兒子還不到一年，就讓自己的兒子斷乳而去餵劉裕。一般餵乳要餵三年。還沒到一年就把自己的兒子斷乳。這種捨己爲人的犧牲精神是很大的。所以劉裕後來做了皇帝之後，就任用那位姨母的兒子去做會稽太守，以報姨母的恩德。

78 垣文凝的母親

劉楷去交州〔注一〕上任，要帶一個對交州情形很熟的人去協辦公務；於是就帶垣曇深去。可是，兒子垣曇深不幸在還沒到交州的時候就去世。垣的妻子鄭獻英，滎陽郡〔注二〕人，只有二十歲。兒子垣文凝也只有兩三歲。這情狀眞是悲慘。鄭氏不得已，只好仍舊跟隨劉楷去交州。

到了交州，鄭氏舉目無親。只有靠晝夜勤苦紡織來維生。雖然年輕貌美；但是由於她節操堅貞，就沒有惹來任何糾擾，而使苦生活能夠得到平安。這樣苦而安地過了一年，有點力量奉丈夫的骸骨回故鄉了。於是就向劉楷告辭，要回故鄉。劉楷大吃一驚，說：「這裡離故鄉，有一萬里路遠。你一個年輕女子，帶的又是一個三歲的小孩。這一路之上，你怎麼支持得了？」於是極力勸她不可以去。但是，鄭氏說：「我丈夫的靈魂，流落外鄉。我的兒子又這麼幼小。如果一旦不幸，我也死了；我丈夫的靈魂就長久要流落外鄉了。我死到九泉之下，怎麼有面目去見我的先姑呀？」說著，不禁悲切切地痛哭。

劉楷看到這種情形，非常感動。就送了她一筆很豐厚的錢。她於是就帶著丈夫的骨罈和幼小的兒子，歷盡了千辛萬苦，回到了故鄉。葬好了丈夫的骸骨之後，於是說：「這，我就可以去九泉見我的先姑了。」

這時垣文凝才四歲。鄭氏經常勤苦地教他讀書。稍微長大，就開始講述一些做人的道理給他聽。鄉里之間，對鄭氏這種賢德，沒有一個人不是讚不絕口的。

〔注一〕交州　包括：現在的廣東、廣西兩省和越南國北部地區。領有：南海鬱林蒼梧交趾合浦九眞日南等七郡。

〔注二〕滎陽郡 在現在的河南省滎澤縣西南。

79 袁粲的母親

袁粲的母親，姓王。琅琊郡〔注〕人。袁粲小時候就死了父親。叔伯家都很富貴，袁粲家却非常貧窮。王氏就勤苦紡織，賺點微薄收入來維持家用。幸虧袁粲從小到大，一直很用功讀書，所以後來也做到卿相級的高官。

有一次，袁粲因事使得皇帝不高興。當然就不但官位有危險，就是生命也有危險。他的母親王氏知道了，就帶著一塊磚，去等皇帝外出的車。等到了，就把磚塊放在地上，而她就在磚塊上重重叩頭向皇帝陳述求情的話。頭在磚上碰得血淋淋。磚的碎片飛射著，不愼射傷了一隻眼睛。後來竟瞎了一隻眼睛。（所以，袁粲每每在和別人講話的時候，不小心講出了「瞎子」或「獨眼龍」之類的話，他就整天後悔痛哭流淚。）

有一次，袁粲病得很重。王氏又憂愁又操勞，弄得睡眠不足，白天打瞌睡。有一次，在打瞌睡的時候，夢見袁粲的爸爸向她說：「粲兒將來會做高官，那是沒有問題的。問題只怕他做到了高官之後，會因爲富貴了而驕奢淫佚起來。這就要毀滅前程了。」王氏做了這個夢之後，從來不曾向袁粲說。後來，袁粲果然做了極高的官。她怕袁粲果然會造成他爸爸夢中所說的那種結局，於是就告訴袁粲。袁粲聽了，行爲就注意不流於驕奢。

〔注〕琅琊郡　在現在的山東省。

80 王僧辯的母親

王僧辯的母親，姓魏。王僧辯在南朝梁朝元帝的時候做領軍將軍。荊州（注一）湘州（注二）有背叛的企圖，元帝命令王僧辯去討伐。王僧辯不是抗命不去。他是認爲駐在竟陵郡（注三）的一些部隊，都是一些戰力很強的部隊。想等到調集他們都來了之後再發兵。他叫鮑泉去向元帝把這意思報告。鮑泉却不敢去。等到元帝問起「爲什麼還不發兵？」王僧辯才把這意思答覆。這已經說遲了。元帝聽了大怒。大聲地說：「你顯然是遷延不去！故意違抗命令！想和賊人通聲氣！我現在就要把你處死！」元說著，就準備要殺他。他急忙說：「我今天死在這裡，沒有什麼關係。只恨死前沒有見到老母。」元帝越聽越氣，就用劍向他砍去。他稍微躲閃一下，就被砍在大腿外側上。鮮血流滿了一地。人就暈了過去。好久才醒過來。元帝馬上叫人押去交給廷尉治罪。並且再去拘捕他的子侄一併下獄。他的母親馬上就去向元帝請罪。這時，元帝才清醒。才賜好藥把王僧辯的傷治好。剛剛那時的平亂人才，非王僧辯不可。元帝就又恢復了他領軍將軍的職位。

王僧辯的母親魏氏，性情非常和善，家門內外，沒有一個不喜歡她。當王僧辯下獄的時候，他的母親淚流滿面地步行去求見元帝請罪，元帝不見她。那時候，貞惠世子很得寵；於是魏氏就到世子那裡去自責對兒子教訓不佳。說到傷心處，在場聽的人，沒有一個不憐憫。等到王僧辯免罪之後，她就嚴厲地責備王僧辯。據顏氏家訓說：王僧辯在做大司馬或將軍的時候，年紀已經在四十歲以上。遇到做錯了一點事，魏氏還是會鞭打責罰他。王僧辯能成就很大的事業，他的母親魏氏的嚴厲教訓，關係非常的大。

王僧辯做這麼大的官，魏氏從不藉富貴驕人。平日對人，非常謙恭。所以，不管是在朝在野的人，都稱讚她是明哲婦人。

〔注一〕荊州　在現在的湖北省。

〔注二〕湘州　在現在的湖南省。

〔注三〕竟陵郡　在現在的湖北省天門縣西北。

81 鄧元起的母親

鄧元起，南郡〔注一〕當陽縣〔注二〕人。他做益州〔注三〕刺史的時候，親自去迎接他的母親到官府公館居住。他的母親不肯去。她說：「你是貧賤人家出身的人，現在忽然富貴起來，你就應該謙虛謹愼做人，才保得住這富貴。但是，我看你，總是浮躁驕傲。這樣，想長保富貴，是不可能的。我寧願老死在家鄉，不願跟著你去官府，免得和你一同遭到算定了會來到的禍敗。」

後來鄧元起果然遭到殺身之禍。

〔注一〕南郡　大約是現在的湖北省中部和南部一帶地區。

〔注二〕當陽縣　屬南郡。就是現在的湖北省當陽縣。

〔注三〕益州　在現在的四川省。

82 張緬的母親

張緬的母親姓劉。張緬的官位不小。做了幾任太守之後，升到太子洗馬〔注一〕、中書舍人〔注二〕。俸祿很有可觀。但是，張緬沒有發跡之前，家裡很貧窮。他父親死了之後，葬禮都沒法辦得完備。因此，劉氏心裡非常難過，平日絕不過安適的生活。也不跟隨張緬去官府的公館享福。這樣，張緬也就不敢把俸祿，用在妻子和兒女的安適生活上。妻子和兒女要穿一件好點的衣衫也不可能。所有的俸祿錢，都積存起來。告老還鄉的時候，都把來交給母親。而劉氏就都用去周濟貧苦親戚、家族。多年的積蓄，一兩天裡，就散發得乾乾淨淨。

〔注一〕太子洗馬　官名。掌理太子出入侍從等事宜的官。

〔注二〕中書舍人　官名。掌理朝廷詔、誥、制、勅的官。

83 高儒兄弟的母親

高儒兄弟的母親，姓張。高儒有四兄弟。高儒是老大。老二是高緒，老三是高孝貞，老四是高孝幹。四兄弟後來都很有成就。四兄弟小時候，張氏對他們的學業，督促得很嚴。經常告誡他們、說：「我嫁來你們家之後，沒有一天不看到你爸爸發憤讀書。你們想將來有所成就，就要學你們爸爸的樣。

這樣，才能夠讓我們家的門風，不致衰落下去。」

84 崔道固的母親

崔道固的母親，是崔輯的妾。妾在家庭的地位非常的低。所以崔道固嫡母所生的哥哥崔攸之、崔目連，對他們非常輕視。崔輯看到這種情形，就向崔攸之說：「你們不要看不起道固喲！以他的儀表、資質，將來光耀我們門楣的，恐怕就是他喲！你們憑什麼要輕視他們母子呢？」但是，崔攸之還是不聽父親的話，照樣地對他們非常輕視。崔輯於是就給崔道固一些旅費，要他去南方求官做。

那個時候劉駿還沒有做皇帝。正在做徐、兗兩州〔注一〕的刺史。崔道固就在劉駿那裡謀到一個從事〔注二〕的官職。崔道固外表很倜儻。一舉一動非常文雅大方。武藝也非常好。劉駿非常看重他。剛剛有個青州〔注三〕刺史去上任，經過劉駿那裡，劉駿就介紹崔道固給那位刺史。劉駿對那位刺史說：「崔道固是一個人才，埋沒他，實在可惜。世俗一般人因爲他是妾的兒子，就看不起他，這是無謂的。你可以重用他。」那位刺史就給崔道固一個主簿〔注四〕的職位。

後來，崔道固慢慢做到了參軍〔注五〕。有一次，崔道固因事邀集了長史〔注六〕以下的官員在家聚餐。他的哥哥們就逼他的母親在客人面前送菜送酒。意思是要奚落他們母子。崔道固沒有想到哥哥們會來這一手；就只好臨時補救；向客人們宣佈說：「家裡面人手欠缺，而老母也喜歡勞動；所以她就自己端菜送酒。」這時候，客人們都知道是崔道固的哥哥們的惡作劇，大家越發對他的母親感到敬佩；紛紛下拜。他的母親連忙向他、說：「道固兒！我地位低賤，答拜客人們，恐怕配不上。你趕快代我答拜！」客人們看到這種情形，沒有一個不敬佩讚美崔道固母子而輕賤他的哥哥們。

〔注一〕徐州　在現在的江蘇省。

兗州　在現在的山東省。

〔注二〕從事　（見第46篇的「注六」。）

〔注三〕青州　在現在的山東省。

〔注四〕主簿　官名。辦理文書、會計事宜的官。

〔注五〕參軍　官名。參謀軍務的官。

〔注六〕長史　官名。官府裡面一切屬吏的長官。

85　裴植兄弟的母親

裴植兄弟的母親，姓夏侯。性情非常剛強。對待兒子比嚴厲的父親還要嚴厲。成了年的兒子去見她，不是服裝整齊她就不見。如果有過錯，即使是小過錯，也要自動衣帽整齊地跪趴在她的閨閣門外，經過了三五幾天才接見，然後嚴厲地訓斥一頓。

86 崔浩的母親

崔浩的母親，姓盧。崔浩寫了一篇食經序。裡面有些話，可以見出他的母親的婦功、婦德。這些話，是：

我從小一直到長大，沒有一天看不到母親操勞家務備辦膳食的兩大目標：第一，奉養舅姑。第二，四季祭祀。其中難免有要用大體力去做的事情，她却都是親自動手，不會吩咐僮僕代替。母親對這些事，做得有條有理。而且越做越有經驗，也就越做越趨完善。可是後來因爲世局變亂，完善的情形，就大受破壞。現在十幾年了，情形沒有復原。這些經驗就會遺忘。母親懼怕再久拖下去，因此寫了一本食經，裡面有九篇重要文字。這樣，後輩看了這食經，就可以把「奉養舅姑」和「四季祭祀」的兩件事，做得很好了。

87 魏緝的母親

魏緝的母親，姓房。十六歲就死了丈夫。而且丈夫死的時候，兒子魏緝出生還不到一百天。於是千辛萬苦，養育這個孤苦的孩子。在孩子成年以前，一直不出大門半步，成天在後房之內，教養、教訓孩子。所有娛樂的事情，宴會的事情，一直到死，從不參加。魏緝成年之後，在外面交結朋友，如果是交的一些比魏緝高明的，房氏就在魏緝把朋友帶來家裡的時候，很周到、很客氣地招待朋友飯餐。如果帶回家的是不好的朋友，房氏就等那朋友走了之後，責罵魏緝；並且氣得不吃晚飯。要魏緝誠懇地答應了會悔改，然後才吃。

88 房景伯的母親

房景伯的母親，姓崔。聰明而慈祥。讀書很多，所以知識廣博。房景伯小時候就死了父親，家境非常貧窮，沒有經濟能去從師求學，都是在家裡由崔氏自己教授。

後來房景伯做清河郡（注）太守。對於獄事有疑難不決的時候，他總是回家請教母親。有一次，有一個忤逆不孝的案子，房景伯不好怎麼處理。於是又回家請教母親。崔氏說：「小人不懂禮教，罰他也是沒有用的。最好是用感化的方法，讓他自己悔過。你派人把那忤逆子的母親叫來和我同住幾天，那忤逆子就跟着你住幾天。那忤逆子看到你孝敬我的情況，我想他一定很自然地會悔改的。」

房景伯照著母親的話去做。那忤逆子看到房景伯早早晚晚侍奉崔氏的非常孝敬的情形，只看了不到十天，就感動了。請求要回家去孝敬母親。」崔氏還怕那忤逆子是一時的衝動，不是出於內心的感動；於是再留他們住了二十幾天。結果，那忤逆子眞的感動得痛哭流涕，叩頭謝恩的時候，把頭碰的出了血都沒有感覺。回家之後，孝敬他的母親，慢慢成了一個名聞遠近的大孝子。

〔注〕清河郡（見第40篇的「注一」。）

89 朱度律的母親

朱度律在北魏節閔帝的時候做大將軍。他借軍隊的威勢，向老百姓搜括錢財，沒有滿足。老百姓受他的毒害，非常的大。大家都叫苦連天，恨之入骨。朱度律的母親，聽到了這種情形，氣得生病。等到見面，就嚴厲斥責他，說：「國家給你做這麼大的官，你卻忘恩負義。我不忍看到你將來遭殺身之禍。我寧願現在就死去。」說完，眞的馬上就死了。人們感到非常奇怪。後來朱度律果然被高洋斬首。

90 趙隱的母親

趙隱字彥深。在齊朝做到宰相。同時，齊朝宰相善始善終的，只有趙隱一個人。他的母親，姓傅。有貞操而又有遠見。趙隱三歲的時候，傅氏就守寡。那時候，娘家、夫家，都有人要她改嫁，她却寧死也不肯答應。她把希望寄托在趙隱身上。而且她也有強烈的自信，自信這希望將不會成爲失望。趙隱五歲的時候，傅氏抱他坐在膝蓋上問他、說：「孩子，你這麼小，家裡這麼窮，怎麼來度過這種日子呀！」趙隱哭着回答說：「如果老天爺可憐我們，讓我們不致餓死；我長大之後，一定大大賺錢來供養母親。」雖然是五歲小孩的話；但是，那話的那股鼓勵生存意志的力量，是特別強大的。

後來，她們的希望，果然是百分之百地達到了。當趙隱拜太常卿〔注〕之後，他回家去拜見母親。不脫朝服，就去跪拜母親。他說：「如果沒有母親的堅強毅力把我教養長大，我就不會有今天的成就。」說著，母子互相哭泣了好久，然後趙隱才換下朝服。

〔注〕太常卿　官名。九卿之一。太常寺設置卿和少卿各一人。掌管宗廟禮儀事宜。

91 杜叔毗的母親

杜叔毗在梁朝做蕭修府裡面的參軍。周文派兵圍攻蕭修。蕭修就派杜叔毗去請和。在這過程裡面，蕭修府裡面的曹策，就想先投降。因爲怕也有兵力的杜叔毗的哥哥杜君錫不贊成，就先下手爲強，誣陷杜君錫謀反而把他殺害。事後，因爲蕭修結果是投降了，所以曹策就沒有受到處罰。杜叔毗雖然恨曹策，也沒有辦法奈何他。於是杜叔毗就決心私下裡報仇。但是因爲怕連累母親，就在母親面前猶豫不決。不想母親却毅然地向他、說：「你的哥哥橫遭曹策誣陷而殺害。我眞痛切骨髓。只要是殺得死曹策，曹策早上死，我就晚上死也甘心。我還怕什麼連累呢？」杜叔毗得到了母親這個允許，就馬上去把曹策殺死在京城裡。並且割下他的頭，破開他的肚子，斬去他的四肢。然後自己綁著自己去向周文自首。周文因爲嘉許他的義氣，結果赦免了他的罪。

92 袁粲的小兒子的乳母

袁粲和他的十七歲的兒子袁最，被齊高帝誅殺之後，袁粲的小兒子，只有幾歲。他的乳母抱著他逃躲。結果去投袁粲的門生狄靈慶。可是，不幸，狄靈慶却是一個忘恩負義的人。他向乳母、說：「

我聽說：交出袁粲的小兒子的，有重賞。現在袁家全家消滅了。你還帶着那個小兒子東逃西躲。你究竟是爲誰出力呢？」於是就強抱那小兒子去投案圖領賞。

乳母邊追邊大哭叫天、說：「你的老師袁公以前對你有恩。所以我才把小兒子抱來要你保護。眞想不到我看錯了人。你竟是這樣一個忘恩負義的人。爲了一點小利，就要出賣恩人，要殺害恩人的根苗。你這種人，如果天地鬼神有知，我準要看到你將要遭滅門之禍！你會死無葬身之地！」

這個小兒子死後，狄靈慶常常看得到他騎大㲮毛狗遊戲，和他生前平常一樣。一年多的時間裡，狄靈慶常常是這樣看到。有一天，忽然有一隻狗，疾速地跑去狄靈慶家裡。在狄家的院子裡，把狄靈慶咬死。不一會，狄的妻子兒女，都暴斃。這隻狗，就是袁粲的小兒子生前常常騎著奔跑的那隻㲮毛狗。

隋朝

93 高熲的母親

高熲，在隋文帝初受禪的時候，官拜尚書左僕射納言〔注一〕。封勃海郡公。等到國家局勢平定之後，又因功升爲上柱國〔注二〕進爵齊國公。這種官運，可以說是紅得發紫。但是，他的母親，深切了解官場的傾軋排擠和物極必反的道理，總是時常告誡他要多多注意。她說：「富貴到了極點，接著來的，十九是殺身之禍。」高熲當然聽母親的告誡，時刻謹愼；可是結果，還是遭到「不幸而言中」的命運。煬帝即位之後，荒淫無道。高熲雖然謹愼，總難免有勸諫性質的言話。結果是被煬帝加上訕謗的罪名而被誅殺。

其實，高熲是個好宰相。他有文武全材的才幹，有以天下爲己任的胸襟。執政二十多年，朝野的人都很欽佩。都稱讚他是「眞宰相」。所以，他的被誅，沒有人不傷痛惋惜。正因爲這樣，更可見他的母親的識見高明。

〔注一〕尚書左僕射納言　官名。尚書省，長官叫「尚書令」。下面設置左、右僕射各一人。是副長官。納言就是侍中，是侍候在皇帝左右管理車子服裝等事的官。

〔注二〕上柱國　官名。是酬勞功勳的官。是散官。但是地位極其尊榮。

94 鄭善果的母親

鄭善果的母親，姓翟。清河郡〔注一〕人。十三歲嫁給鄭誠。北周末年，鄭誠奉命討伐尉遲迥，盡力作戰而死在戰場。那時翟氏只有二十歲。鄭善果只有七歲。翟氏的父親，想把翟氏再嫁。翟氏誓死不從。翟氏抱著鄭善果向父親、說：「鄭誠雖然去世了，但是留下了這個小孩。我今天如果再嫁，丟掉孩子是不慈，背棄亡夫是不義。不慈不義，不是有人性的人會做的。我絕對不能聽從爸爸的意思。」鄭善果雖然只有七歲；但是因爲他的父親是爲國家犧牲，所以還是被拜爲持節大將軍，承襲父親的爵位爲開封縣公。開皇初年，進封武德郡公。十四歲那年，被任用爲沂州〔注二〕刺史。不久又轉任景州〔注三〕刺史。又再升任魯郡〔注四〕太守。小孩子做這麼大的官，自然，絕大的處事力量，是靠母親。

鄭善果的母親，非常賢明而有節操。平日讀書很多，知識廣博。對行政事宜，更非常通達。鄭善果每天出去聽事辦公，她就坐在帳幕後面的胡床上細心聽鄭善果處理公務的情形。聽到鄭善果處理得合理，鄭善果下班之後，她就非常高興，賜給鄭善果座位，和他談笑。如果碰到鄭善果處理公務不妥當，尤其是隨便對屬下發脾氣，鄭善果下班之後，她就大不高興，獨自一個人，坐在寢室裡，哭泣不停，也不吃東西。要等到鄭善果在面前跪了很久之後，才停止哭泣，向鄭善果、說：「我並不是生你的氣，我是看到你這樣，就替你死去的爸爸慚愧。我自從嫁給你爸爸之後，就知道他是一位忠勤的人士。他一生一心爲國；沒有私欲，也不會擺一副官威。你如果跟不上你爸爸的樣，你就對不起你爸爸。你尤其要知道：你小小年紀，做這麼大的官，這並不是你的本事，全是你爸爸的餘蔭。你如果不把心力放在處理公務上，而把它放在擺官架上，那你就不但會毀壞你的門風，而且必定會失去官爵。對你爸爸，對國家，都對不起。我將來去九泉，也沒有面目去見你爸爸。」

以鄭善果的官爵，家庭是相當的富裕的。但是，翟氏還是日夜做著紡織的工作，夜晚要做到很晚才睡覺，第二天一早又起來做。鄭善果看到母親這樣勤勞，就向母親、說：「我做這麼大的官，俸祿很多。母親何必這樣勤勞呢？」翟氏聽了，就嘆氣說：「我以爲你年紀一天天長大，會多懂得一些道理；現在聽你這樣說，你還是很幼稚。你說我們富裕，你可知道那富裕是怎麼來的嗎？這是你爸爸用生命換來的。這種錢財，要拿去散給窮苦六親，以增加你爸爸對人們的恩惠，那才對得起你爸爸。我們爲妻爲子的，不勞而獲地拿來享受，這是可恥的。將來到九泉，沒臉面見你爸爸。再說，勤勞，是任何人的本分。對女人來說，更是天職。自古以來的女人，上自皇后，下到老百姓的妻子，除非是壞女人，否則，沒有一個不勤勞的。所以，你要對你說出的錯話，多加悔悟。」

翟氏生平從不施朱敷粉。穿的是粗布衣衫，吃的是粗菜淡飯。不是祭祖宗或宴賓客，從來見不到酒肉。平日只是坐在閨房，讀書寫字。不是有要事，不會隨便出大門。親族朋友家有吉凶的事，只是著人去送禮，自己不會去參加。除了自己勤勞所得的收入之外，即使是親戚的正常禮贈，也不會收下作自己享受之用。鄭善果在衙門裡的膳食，都是用翟氏做好的粗菜淡飯。至於俸祿的收入，一部分是用去修理公家房舍和施舍給較貧苦的屬下，一部分是用去周濟別的窮苦親友。這樣，鄭善果就養成了清廉的習慣，被人稱讚爲清官。隋煬帝曾派御史大夫張衡慰勞他。考績是天下最高等的。並任用他做光祿卿〔注四〕。

鄭善果的母親死了之後，鄭善果被任用做大理卿〔注五〕。因爲沒有母親的督促，又慢慢地驕恣起來，沒有先前的清廉。可見：一位賢母，對兒子的一生禍福，關係相當密切。

〔注一〕清河郡〔見第40篇的「注一」。〕
〔注二〕沂州　在現在的山東省臨沂縣。
〔注三〕景州　在現在的河北省景縣東北。
〔注四〕光祿卿　官名。掌管朝廷裡面祭祀、朝會、膳食、帳幕等事宜。
〔注五〕大理卿　官名。掌管刑法事宜。

95 陸讓的嫡母（注一）

陸讓的嫡母，姓馮。性情慈愛，極有母儀。陸讓在文帝開皇年間，做播州（注二）刺史的時候，犯貪汚罪，證據確鑿，被判死刑。馮氏蓬頭垢面，去到朝堂，數說陸讓的罪過，嚴厲責罵。說到傷心處，痛哭流涕。最後又慈祥地親自端一杯粥給陸讓吃。事後，又上表向文帝哀求矜憐。表的措詞，十分感人。文帝看了，幾乎要掉淚。獻皇后看了表，也非常同情。治書侍御史（注三）柳彧又進言說：「馮氏這種嫡母對待妾的兒子的慈愛眞情，實在太感動人。就是說給一個不相干的路人聽，也會感動流淚。如果將這種慈母的兒子處死，就對勸別人爲善，很難收效。」文帝於是就決定赦免陸讓的死罪。然後派人去召集京城的人士和老百姓，到朱雀門集合。再派遣舍人向群衆宣讀詔書。詔書說：「馮氏以嫡母之德，足爲世範。慈愛之道，義感人神。特宜赦免，用獎風俗。讓可減死除名（注四）。」又下詔書褒美馮氏。並賜給帛五百段。又集合命婦（注五），介紹馮氏給她們認識，以增進馮氏的榮譽。

〔注一〕嫡母　妾所生的兒子，對父親的正妻，稱「嫡母」。

〔注二〕播州　在現在的貴州省。

〔注三〕治書侍御史　有特別職掌的侍御史。職掌治書的，叫「治書侍御史」。

〔注四〕這些話的語釋，是：

馮氏那做嫡母的德性，很可以做世俗的模範。她那慈愛的行誼，不但感動人，而且感動神。所以特別應該憐憫她們的本性善良而免除她們的苦痛。她的兒子陸讓，可以減輕刑罰而免除死罪，只是開除他做官的名籍讓他永遠不能做官就行。

〔注五〕命婦　受有封號的婦人。

96 鍾士雄的母親

鍾士雄的母親，姓蔣。臨賀郡〔注一〕人。南朝陳朝的時候，鍾士雄做伏波將軍〔注二〕。陳主因爲他是嶺南〔注三〕最有號召力的領袖性人物，怕他反覆無常；於是就技巧地留他的母親蔣氏住在都下；實在是作爲人質。到了隋文帝的時候，晉王楊廣平定了江南，嶺南就有反覆，也不大要緊。於是就改用施恩義的手段來爭取鍾士雄的向心，就把蔣氏送回她臨賀郡家鄉去。

過不久，臨賀郡的虞子茂鍾文華作亂攻城。派人去召鍾士雄參加作亂。鍾士雄很想去。他的母親知道了，極力地阻止。但是還好像阻不住。於是蔣氏就堅決地向鍾士雄、說：「你如果要背德忘義，我馬上就自殺死在你面前。」鍾士雄那才決定不去參加。蔣氏接上又寫信去虞子茂鍾文華，分析一切禍福利害，勸他們不要亂來，要及早回頭。可是，虞鍾他們不聽勸。結果，過不久，就被官軍打敗了。

文帝後來聽到蔣氏這種行爲，非常嘉許；封她爲安樂縣君。

〔注一〕臨賀郡　就是現在的廣西省賀縣。

〔注二〕伏波將軍　武官名。帶領水軍的。

〔注三〕嶺南　也叫「嶺外」「嶺表」。五嶺南邊或以外的地區。指現在的廣東省廣西省兩省的地區。在當時算是很偏僻的地區。

97 元亨的母親

元亨的母親，姓李。父親元季海，原是北魏的司徒〔注一〕。北魏分裂之後，他就在北周的長安做官。而李氏帶着幾歲大的元亨，因爲是洛陽縣〔注二〕人，所以就留在洛陽縣。在洛陽縣的北齊的神武帝，因爲元亨的父親元季海在北周做官，因此就監視他們出境的行動。李氏是原北魏的司空李沖的女兒，素來有智謀；於是就假說飢寒交迫，無法生活，要去滎陽郡〔注三〕投靠親戚。北齊負責監視的人員，看到滎陽郡，離長安太遠；諒她一個老婦人帶一個小孩子，也起不了什麼作用，到不了長安。因此就軟軟地應允她們去滎陽郡。李氏出了洛陽縣境，走不多遠之後，就暗中拜托大富翁李長壽帶著元亨和元亨兄弟輩一些小孩，抄小路和偏僻的鄉間前進。終於到達了長安。

〔注一〕司徒（見第38篇的「注四」。）

〔注二〕洛陽縣（見第63篇的「注二」。）

〔注三〕滎陽郡（見第78篇的「注二」。）

98 許善心的母親

宇文化及在江都郡〔注一〕殺了隋煬帝之後去上朝，朝裡面的百官，都向他道賀。給事郎〔注二〕許善心却不理。宇文化及就又馬上殺死許善心。那個時候，許善心的母親九十三歲。許善心入棺之後，他的母親去到棺材旁邊，來回地摸著棺材，却不哭。並且說：「我可以說眞的有個兒子了。〔注三〕」然後，幾天不吃飯，就死了。

〔注一〕江都郡　在現在的江蘇省江都縣。

〔注二〕給事郎　官名。皇帝左右的侍從官。

〔注三〕隋煬帝固然壞，宇文化及却更壞；險惡無比。同時，當時的價值觀：不管皇帝怎麼壞，殺死皇帝總是大逆不道的事情。能夠反對大逆不道，就是忠。所以，許善心的母親有這種言行。依現在的價值觀，許母的這種言行，是不是值得選錄在本文標榜？這問題，恐怕沒有定論。筆者是站在答肯定答案一邊的；所以本文還是選了。

唐朝

99 王珪的母親

王珪在沒有做官以前、隱居的時候，和房玄齡杜如晦〔注〕非常要好。王珪的母親李氏，由兒子平日的一些言行，就看得出：兒子將來一定是一個有出息的人。所以，有一次，她向王珪說：「你將來一定會做大官，那是我預料得到的。但是我現在就想看看，你平日究竟交的是一些什麼朋友？你不妨什麼時候，帶到家裡來給我看看。」說著，很巧，剛剛房玄齡杜如晦兩個人就有事到王珪家來找王珪。王珪的母親，就趕快在門簾裡面暗暗觀察他們兩個人的言行。觀察後，大大驚喜。覺得兒子交的眞是兩個大益友。因此馬上叫王珪備辦酒菜招待他們兩位，讓他們三個人歡樂地聚談了一天。

客人走後，王珪的母親向王珪、說：「兩位客人，眞是公卿輔弼的人才。你將來的會做大官，是決沒有問題的了。」

〔注〕房玄齡杜如晦　唐太宗時候的兩位好宰相。

100 薛播的伯母

薛播的伯母，姓林。薛播小時候就死了父母。全靠伯母林氏把他撫養長大。林氏深通經史，也很會寫文章。她親自教授自己的兒子和薛播兄弟們讀書作文。教得非常用心而又得法。所以，後來，在開元天寶年間，薛播兄弟七人，都考中了進士〔注〕。這是一個非常難能可貴的大榮譽，非常爲門第增光。

〔注〕進士　舉人去禮部參加考試的，都可以叫「進士」。但是，一般，多指考試及了格的而言。這一級考試，是國家最高一級的考試，沒有再高的了。

101 歐陽通的母親

歐陽通的父親歐陽詢，是我國一位大書法家。他的書法好得連外國都派專使來搜求。歐陽通的母親，姓徐。歐陽詢在歐陽通很小的時候就去世。徐氏爲了想增進家門的大書法家的榮譽，就又勤苦地督導歐陽通練習他爸爸的書法。並且常常要歐陽通去各處搜購他爸爸散存在外面的遺留墨跡。在勤苦的練寫之下，不到幾年，歐陽通的書法，就幾乎趕上了歐陽詢。結果被當時的人稱爲「大小歐陽體」。

102 郭家各女兒的母親

漢陽公主李暢，是順宗的女兒。下嫁給郭子儀（注一）的孫子郭鏦。順宗年間的社會風氣，非常奢侈。漢陽公主却崇尚儉約。她在郭家，登記田租的收入，只是很省儉地用鐵質的簪，在牆壁上劃數字登記。由此可見她節儉的一斑。

文宗是漢陽公主的侄兒。也是一個厭惡奢侈的人。當漢陽公主回皇家的時候，文宗就問漢陽公主說：「姑姑所穿的那麼節儉的衣服，是哪一年的制度規定的？現在這麼奢侈，是什麼時候開始的？」漢陽公主回答說：「我從公公（注二）的時候離開皇家下嫁給郭家，到現在三十多年了。我一直是穿著當時所賜的衣服，沒有照時髦變更。元和（注三）年間，國家常常有戰爭，我就都把好一點的嫁粧，用來散給戰士作奬品，自己毫不享用。這種行爲，傳言到民間，民間就無形中會形成一種儉約的風氣。如果你有意提倡儉約，以身作則向民間示範；民間沒有不馬上改變奢風的。」文宗聽了她這些話，非常高興。就下詔宮人，以後的穿著，都要學漢陽公主的樣。也同樣地教訓各公主。並且下命令給京兆尹：嚴禁人民的奢華。

漢陽公主在郭家，常常對各女兒教誨說：「先姑（注四）有過教訓說：『我和你都是皇家的女兒。是驕奢慣了的。但是，這種驕奢，對於生活幸福的增進，品德人格的發展，是毫無幫助的。只有極力戒除，才是幸福的泉源。』」

〔注一〕郭子儀　是平定安史之亂、挽救唐朝國勢的大功臣。
〔注二〕公公　指「德宗」。漢陽公主的爸爸（順宗），是德宗的兒子。
〔注三〕元和　是憲宗的年號。德宗、順宗、憲宗、穆宗、敬宗、文宗，是當時的傳代次序。
〔注四〕先姑　指「齊國昭懿公主」。下嫁給郭子儀的兒子、郭鏦的爸爸（郭曖）。

103 杜裔休兄弟的母親

杜裔休兄弟的母親，是憲宗的女兒、岐陽莊淑公主。她下嫁給杜悰。杜悰做澧州（注）刺史的時候，有一個管文書的屬下叫李宣古的，每次參加聚餐，喝了幾杯酒後，就戲謔侮慢，使杜悰受不了。杜悰氣了，就想開除他，不用他；最少是不再讓他參加聚餐。但是，這個人很有文才。不但衙門裡要靠他擬稿，就是杜悰的兩個兒子——杜裔休杜孺休，也要靠他教授讀書，指點作文。如果搞翻了，對杜悰的損失，實在不小。岐陽莊淑公主在這種場合下，就趕緊出來打圓場，挽救尷尬局面。她勸杜悰、說：「你就是不要他在衙門幫忙，也要他指導兩個孩子呀！」於是杜悰才和緩下來。

岐陽莊淑公主爲了再促進一下丈夫杜悰的和緩，又另外設置一個場合：在另一次聚餐的時候，她叫那李宣古服裝整齊地坐在中座。公主就來請他當衆做詩。李宣古依公主的安排，坐去中座做了一首詩說：

紅燈初上月輪高，照見堂前萬朶桃。
爭奈夜深拋要令，舞來挼出使人勞。

杜悰對這首詩非常欣賞。因此就完全改變了對李宣古的壞印象。

由於李宣古的用心指點，杜悰的兩個兒子後來都登了高第。那時候，人們都說：「如果沒有岐陽莊淑公主這位賢母挽救衝突場面，兩個兒子的成就，就怕是不會有可能的了。」

〔注〕澧州　在現在的湖南省。

104 桓彥範的母親

張易之和張昌宗兩兄弟，是武則天最親信的人。想要誅滅他們，一下子搞得不好，反而要被誅殺。張柬之〔注〕想藉武則天生病的機會，誅滅他們。於是找桓彥範商量計策，怎樣來行事。桓彥範曉得這是要冒生命危險的事，就向他母親稟明：「張柬之要聯絡我一起去誅滅張易之兄弟，從而恢復唐室。但是，這是最危險的事。有什麼不幸，母親就沒有人孝敬了。母親覺得這事該怎麼決定？」他的母親聽了，非常堅決地回答說：「忠孝不能兩全。你應該以國家利益爲先才對。」

〔注〕張柬之　在姓名的形式上，好像「張柬之」「張易之」是兄弟。其實大不相干。張柬之是宰相狄仁傑引荐的一個忠於唐朝的人。

105 王義方的母親

王義方是泗州〔注一〕漣水縣〔注二〕人。小時候死了父親，家境非常貧窮，對母親非常孝順。

起初，在縣裡面做小官。高宗顯慶元年，升任侍御史〔注三〕。升不多久，就碰到得寵的奸臣李義府做慘無人道的壞事，沒有人敢檢舉。王義方也心想：自己是從縣裡小官爬起來的，沒有背景。李義府是一個笑裡藏刀的狠毒人。人們叫他「人貓」。一下子搞得不好，就怕命都要丟掉。因此，是不是要盡侍御史的責任？心裡非常猶豫。於是就去向他的母親請示教誨。他的母親很毅然地教訓他，說：「從前王陵的母親，用自殺來成全王陵的忠心〔注四〕。如果你能夠盡忠，有什麼危險會拖累到我，我也願受。雖死不恨。」

王義方得到母親的這個鼓勵，於是就大膽直言地上疏檢舉李義府的惡行。結果，雖然幸而沒有遭到殺身之禍，却也被高宗恨他「以孤士觸宰相」，把他貶做萊州〔注五〕司戶參軍〔注六〕。

〔注一〕泗州　在現在的安徽省。

〔注二〕漣水縣　在現在的江蘇省。

〔注三〕侍御史　官名。掌理糾察非法等類事宜。

〔注四〕王陵的母親　（見第28篇。）

〔注五〕萊州　在現在的山東省。

〔注六〕司戶參軍　官名。掌理州的戶口、籍帳、婚嫁、田宅、雜徭、道路等事宜。

附「評論」：

司馬光的評論

原文

此非不愛其子，惟恐其子爲善之不終也。然則爲人母者，非徒鞠育其身，使不罹水火；又當養其德，使不入於邪惡。——乃可謂之慈矣。

意譯

表面上看來，王義方的母親要王義方去冒生命危險切諫，好像王義方的母親不愛他。實在却是眞愛；因爲她是生怕王義方做好事沒有勇氣把那好事做到最後的成功。這樣說來，一個做母親的人，不但要撫養兒子，使他的身體不受到損害，而且要培養他的品德，使他不至於走進邪惡的境地。要這樣，才能算是一個眞正慈祥的好母親。

106　麴昭的母親

麴昭非常歡喜讀書，而且讀的很有心得。他的母親看到這種情景，料定麴昭將來一定有大成就。於是，即使是家境非常窮苦，也仍舊省吃儉用，節下錢來給麴昭買書。

有一個賣舊書的人，有幾本早已絕了版而在當時買不到的善本書，有幾次來向麴昭兜售。麴昭看了，實在想買；但是價錢太貴，實在買不起。有一天，那賣書的人又來了。剛剛碰到麴昭的母親也在那裡。母親看到麴昭那副買不起書的失望相，就毅然把家裡存的夠吃半個月的錢，通統拿給麴昭去買書。賣書的人，也願降點價；因此就買成了。

麴昭的母親說：「孩子，只要你用功讀書，家裡就沒有錢吃飯，我還是要以買書為重而另外去設法錢吃飯的錢。」

107 嚴武的母親

嚴武的母親，姓裴。嚴武天性凶暴。他的父親嚴挺之對他也沒有好家教。他的父親不喜歡他的母親而喜歡姨太太。他八歲的時候，看到母親不被父親喜歡的情形，就問母親：「是為了什麼？」母親看到他是小孩，就毫不在意地信口把一點原因告訴他。不想，他聽了非常氣憤；就用一把鐵鎚，等他爸爸的姨太太睡着了的時候，向她頭上鎚幾鎚而把她鎚死。家人替他說謊，說他是不懂事而敲得玩敲死的。他却膽大包天地說：「天下哪裡有身為朝廷大臣不喜歡妻而喜歡妾的呢？我不是敲得玩。我是故意把她鎚死的。」他父親聽了，不但不感到震驚，反而稱讚他、說：「這眞是我嚴挺之的勇敢的孩子！」

孩子雖然是為母親抱不平，但是，慈祥的裴氏，却覺得兒子這種性行最可怕。從此，就經常敎導他，要把凶暴個性徹底悔改。可是，因爲有父親的縱容，一點都不生效。雖然是這樣，可是裴氏還是不灰心，儘最大可能而盡母責。

嚴武長大之後，在朝廷做很大的官。跟玄宗到四川去。他在四川多年，殺人搜刮錢財，一切，非常放肆。做過宰相的房琯，是對他有提拔之恩的，他也對房傲慢無禮。裴氏不知教訓了多少，全然無效。

代宗永泰元年，嚴武四十歲。死了。他的母親這才鬆了一口氣，同時很慘痛地說：「從今以後，我才可以免除去做官婢的命運了。」

嚴武做劍南〔注一〕節度使〔注二〕的時候，杜甫非常貧困，因爲和他家是世交，就去投靠他，在他那裡做工部員外郎。起初，他對杜甫倒還好。可是，有一天，杜甫喝醉了酒，酒後失言，自言自語地說：「嚴挺之竟然有這麼一個兒子！」嚴武聽到了，就蓄意要殺他。有一天，嚴武把屬下召集攏來，要藉故殺杜甫。但是，嚴武三次走出大門的時候，帽子都被簾子掛住不放。當時迷信現象，是很普徧的；嚴武也不例外。帽子被掛住了三次，嚴武也就有點回心轉意。就在這個時候，嚴武左右的人，就趕快跑去請嚴武的母親來救。結果，嚴武的母親趕到了，杜甫才沒有被殺。

李白有一首很出名的蜀道難詩。據說：內容就是暗示對房琯和杜甫兩個人的擔心。

〔注一〕劍南　鎭名。是現在的四川省西部和雲南省姚安縣以北一帶地區。首府在益州。就是現在的成都。

〔注二〕節度使　官名。擔任邊防的官。用人、理財都可以自主。是非常有權的外任官。

108 趙武孟的母親

趙武孟是甘州〔注一〕張掖郡〔注二〕人。少年時候不喜歡讀書，成天遊蕩或打獵。獵到了野獸，就送給母親做菜。母親每次都是極不願意接受。總是苦口婆心地告誡他不要這樣遊蕩；他却總是不大聽。有一次，他又把野味送來。母親想得傷心了，就哭泣著對他、說：「你天天這樣遊蕩，搞成了習慣，將來怎麼得了呢？我還對你有什麼希望呢？」同時傷心得兩三天不吃飯。那樣，趙武孟才受感動，才徹底悔改；從此努力向學。終於寫出了一部河西人物志。

〔注一〕甘州　在現在的甘肅省。

〔注二〕張掖郡　（見第76篇的「注三」。）

109 狄仁傑的表弟的母親

狄仁傑是唐朝一個很好的大官。在高宗中宗睿宗三朝，做了很多好事，好多人很敬佩他。但是，武則天謀朝篡位，他却又在武則天手下做宰相。雖然還是做好事，同時還荐舉了好多人才；可是人們對他的印象，就有見仁見智的不同了。這裡他的表弟的母親，就是對他印象不好的一個。

狄仁傑的堂姨，姓盧。居住在長安郊外的一個別墅裡。她只有一個兒子，從來沒有和表哥狄仁傑見過面。狄仁傑對這位堂姨非常尊敬。每年的夏祭日和冬祭日，每月的初一日和十五日，都是舊時的重要拜拜日子，狄仁傑都要派人送禮給盧氏。

有一天，公餘之暇，狄仁傑又親自去向盧氏請安。剛剛碰到表弟打獵回來。放下弓箭和獵物之後，就去侍奉母親吃飯。看到狄仁傑，只毫不在意地隨便向狄仁傑作了一個揖。狄仁傑也不去怪他。只向堂姨、說：「我現在做宰相，有權用人。表弟如果想做個什麼官，只要跟我說，我一定可以給他很滿意的答覆。」不想，堂姨却向狄仁傑潑冷水、說：「你儘管自己一個人高貴好了。我只有這麼一個兒子，我希望他能夠清高一點，不想他去侍候那個謀朝篡位的女皇帝。」狄仁傑聽了，兩臉通紅地馬上起身告辭了。

110 潘孟陽的母親

潘孟陽的母親，是「小時候是神童，長大後是宰相」的劉晏的女兒。潘孟陽做侍郎（注一）的時候，還不到四十歲。年輕人即使有才學也缺乏經驗。所以，他的母親向他、說：「以你這麼輕的年紀而做這麼高的官，我實在太爲你擔心了。你該時時刻刻警惕謹愼才好。」說的時候，正好後來做到宰相的杜黃裳來到家裡。潘孟陽的母親就問潘孟陽：「那個穿綠衣衫的少年是什麼人？」潘孟陽回答說：「是補闕（注二）杜黃裳。潘孟陽的母親說：「這個年輕人，有這麼穩重而又開闊的器度，眞不是一個普通人。將來一定大貴。」一眼就看出一個青年人將來會做宰相，這位母親的眼力就相當的高了。對自己兒子的教化力量就不小了。

〔注一〕侍郎　官名。侍郎有好多種。這裡指內史侍郎。掌理詔草。

〔注二〕補闕　官名。有左、右補闕的不同。這裡指右補闕。掌理供奉諷諫，駁正詔書。

111 劉玄佐的母親

劉玄佐，滑州〔注一〕匡城縣〔注二〕人。他做宰相的時候，他母親還健在。他母親是一位極賢德的婦人。她兒子做到這麼高的官，她却每月還一定織出一匹絹。這表示：做人不忘本；而「勤勞」就是做人的本。

她經常教導劉玄佐要盡臣節，要想到朝廷恩寄之重。並且在看到劉玄佐擺宰相架子的時候，等劉玄佐退朝回家之後，就訓斥劉玄佐。她說：「那天我看到一個縣令到你那裡報告事情。你那股大模大樣的神氣，人家縣令那種恐懼卑下的情狀，我看了，實在過意不去。想到你父親也曾做過縣令。如果也遭到同樣的對待，我們心裡會多難過。所以，你要將心比心。」劉玄佐聽了母親的訓斥之後，就馬上悔悟。從此對待屬下，就很有該有的禮貌。

〔注一〕滑州　在現在的河南省。

〔注二〕匡城縣　在現在的河南省長垣縣西南。

112 李景讓的母親

李景讓的母親，姓鄭。很早的時候就死了丈夫。家境非常貧窮。所以，李景讓小時候的學業，都是鄭氏親自教授。至於李景讓的品德教育，那就是：鄭氏性情嚴明而又有身教。

有一次，修整家中後院的圍牆，在牆脚下掘出好幾十甕不知什麼時候什麼人埋窖的銅錢。要是別人，這下子就會歡天喜地。鄭氏却毫不在意地向家人說：「我聽說過：凡是不勞而獲的人，後來就必定有災難加在他身上。這種錢，我們不能要。」但是，已經發現了，如果仍舊埋在原處，就會「慢藏誨盜」而招來竊盜或搶劫。鄭氏於是都掘起來全數用來周濟鄉里間貧窮的人。自己分文不取。她說：「上天如果因爲我們祖先積了德，現在可憐我們貧窮，要對我們有所賞賜，那就懇求老天爺賞誡我的兒子會用功讀書而在學問方面早有成就就好。不必要賞賜金錢。」

李景讓被朝廷派去做浙西觀察使（注一）。他的母親問他：「什麼時候去？」他說：「明後天就要去了。」他的母親很生氣地說：「那就你一個人去好了。我有事，我不能同去。再說，你做了大官了，也可以不要母親了。」李景讓知道是沒有事先把上任的日期商請母親決定；自知有罪；於是馬上向母親跪地謝罪。

李景讓做官幾十年，頭髮都花白了；碰到不小心而犯有小過，他的母親還是要責打他。李景讓浙西觀察使任內，用打軍棍處罰一個牙將（注二），結果把那牙將打死了。軍營裡面好多人非常憤怒，幾乎要鬧成叛變的局面。李景讓的母親聽到了，就趕快作緊急處理：鄭氏把軍中大小將領，召集到大廳上。叫李景讓站在廳外的庭院裡。然後，鄭氏大聲斥責他、說：「朝廷付給你方面（注三）的任務，是多麼重要。你做事就該非常謹慎。尤其是刑法，那是國家的，不能聽由一個人私人的喜怒而隨便施用。否則，萬一招致一方的不安寧，那不但有負朝廷，也叫我蒙羞。將來去到九泉，用什麼面目來見你的爸爸？」說完之後，命令左右的人，脫掉李景讓的上衣，預備要鞭打他。各大小將領，全都上前勸阻，鄭氏仍不肯。結果，大家哭泣起來，鄭氏那才作罷。這樣，軍心才告穩定。

〔注一〕觀察使　官名。設在各道的官。掌理查察道裡面的官吏的善惡。

〔注二〕牙將　輔佐的武官。

〔注三〕方面　一方的職務。也用來稱呼封疆大吏（守邊境的將帥）。

113 柳仲郢的母親

柳仲郢的母親，姓韓。很有方法誘導兒子向學。所以柳仲郢幼小的時候就很用功讀書。她當然懂得不能過分用功傷害身體；但是，有時候要趕必要的進度，就不得不讓柳仲郢睡晚一點。這時候，韓氏爲了顧及兒子的身體，據說：熊膽丸有清涼退熱的功用；她就不惜多花金錢，去配製熊膽丸給柳仲郢吃。到現在，「熊丸」一詞，已經成了典故。

114 王琚的母親

王琚做中書侍郎〔注一〕的時候，他的母親住在洛陽縣〔注二〕。他的母親是個明智的人；可是，教誨王琚的話，王琚都不聽。有些跡象顯示：王琚恐怕要招禍。於是，她就從洛陽縣去到長安，向王琚說些警戒話。王琚還是不聽。她就說：「我們家，歷代都只是在州縣裡面做小官。你現在既沒有戰功，也沒有別的功勞，徒然靠諂媚來取得這麼高的官位。却又不多做好事，讓一些有權勢的人們，對你非常懷恨。你如果不醒悟，不急流勇退；我看，我們家的祖墳，就會從此沒有人去掃祭了。」

後來，王琚果然不免殺身之禍。

〔注一〕中書侍郎　官名。掌理朝廷庶務。

〔注二〕洛陽縣　（見第63篇的「注」。）

唐　王琚的母親

115 崔玄暐的母親

崔玄暐，博陵郡（注一）安平縣（注二）人。少年時候，品學兼優，做秘書監（注三）的他的叔父，非常器重他。高宗龍朔年間，考中了明經（注四）。被任用爲庫部員外郎（注五）。對於他的做官，他的母親盧氏常常告誡他、說：「我常常聽得姨兄屯田郎中（注六）辛玄馭說：『兒子做官，他的父母却說窮得沒飯吃。這是好現象。如果我們聽到說他的父母或別的家人，都騎肥馬，穿輕暖的狐裘，家裡面的財寶無數。這就是最壞的現象。』我一直覺得姨兄這些話是金科玉律的話，非常重視這些話。我近些年來，常常看到親戚朋友的做官的，常常將財物交給他的父母。他的父母只曉得：一交來，就高興。不會去想想：這種財物究竟是怎麼來的？如果是兒子對俸祿的錢，省吃儉用，節儲了一些錢財，把來交給父母，那當然是好事。如果是不義之財，那和偷來、搶來的錢，有什麼不同？就是僥倖沒有被上級抓判貪汚罪，難道於內心不會有愧疚？吳國孟仁母親的不接受兒子孟仁的魚鮓（注七），是大有道理的。你現在做官，輕鬆地拿得到俸祿，已經是太好了；如果還不清廉，那就實在不好在天地間做人了。孔子說：『能在物質上供養父母，不能算是「孝」。』又說：『父母只怕兒女有壞毛病。』你應該好好體會我這番心意。」

崔玄暐聽了母親的這番告誡，永遠記在心裡。自後做官，一直是以清廉謹愼見稱。

〔注一〕博陵郡　在現在的河北省。
〔注二〕安平縣　在現在的河北省饒陽縣西邊。
〔注三〕秘書監　官署名或官名。這裡是官名。是掌理圖書文稿的官。
〔注四〕明經　考試科目名。以經義爲考試內容的一科。
〔注五〕庫部員外郎　官名。屬兵部的官。掌理兵器、儀仗、車馬……等事宜。
〔注六〕屯田郎中　官名。掌理兵士去耕田的事宜。
〔注七〕吳國……魚鮓　（見第56篇。）

116 蕭俛的母親

蕭俛，在憲宗的時候，做到中書侍郎同中書門下平章事〔注〕。這就是宰相的職位。文宗的時候，又被任用爲少師，又升任太子太傅。這些都是一人之下萬人之上的職位。他的母親韋氏，賢良而明察事理；雖然慈祥，但是治家非常嚴肅。家人的一切言行舉止，不能稍有不合理不合禮的地方。否則，一定責罰。蕭俛做到了宰相，對於事奉母親，和早年做老百姓的時候，完全沒有兩樣。

〔注〕同中書門下平章事　官名。就是宰相。簡稱「同平章事」或「平章事」。

117 崔發的母親

崔發在敬宗的時候，做京城長安附近的鄠縣〔注一〕縣令。因爲處理鬥毆事件處理得不得當，被關進監獄。雖然遇上改元大赦；但是，他，仍舊不被赦。諫議大夫〔注二〕李渤，雖然曾替他說話，敬宗仍舊不赦他。過些時，宰相李逢吉又去替他向敬宗說話。李逢吉說：「崔發固然是有罪不該赦。但是，他的母親韋氏，是已經去世的前宰相韋貫之的姊姊。現在已經八十歲了。爲了崔發的事，憂愁得生病。皇上現在正是以孝治天下。請皇上能夠憫憐他母親的慈愛，赦了他罷！」敬宗那才說：「我不知道這個情形。前些時諫官只先要求要赦免他，沒有提他母親的事。」於是馬上下令赦免崔發。派人送崔發回家，而且安撫韋氏。

韋氏拜受了詔書之後，哭泣著當使者的面，責打崔發四十棍。

〔注一〕鄠縣　在現在的陝西省長安縣西南。

〔注二〕諫議大夫　（見第39篇的「注」。）

118 張鎰的母親

張鎰在肅宗的時候，做殿中侍御史（注一）。肅宗乾元初年間，華原縣（注二）縣令盧樅，因爲公事，曾用嚴厲的言詞斥責了縣裡面的齊令詵。齊令詵懷恨在心。而齊令詵是有權勢的宦官，報復非常方便。於是就借機會誣陷盧樅一個罪名。這個案子，歸張鎰查辦。張鎰查的結果，最重的罪不過是免職；但是維護齊令詵的上級官，却要判盧樅的死罪。

張鎰想正直地簽辦這案子，又怕自己也要受害；不正直地、將就地簽辦，又對良心不住。在猶豫不決的時候，就去請示母親、說：「盧樅的案子，母親是知道的。我如果要硬直地簽辦，我就一定要被貶職。母親的生活就一定要受到很大的影響。我如果私曲地簽辦，我不但對不起盧樅，而且是有虧職守，對先人、國家，都對不起。我實在兩下爲難。所以特地來請示母親。」母親馬上就毅然決然地說：「你只要照正理正義辦，我受什麼影響也甘願。」

張鎰於是就正直地簽辦。結果，盧樅被判流罪。張鎰就被貶爲撫州（注三）的司戶參軍（注四）。

〔注一〕殿中侍御史　官名。掌理殿廷供奉的儀禮和考察非法之類事宜。

〔注二〕華原縣　在現在的陜西省長安縣附近。

〔注三〕撫州　就是現在的江西省臨川縣。

〔注四〕司戶參軍　（見第105篇的「注」。）

119 崔彥昭的母親

崔彥昭在僖宗的時候，做兵部侍郎〔注一〕。不久，升同中書門下平章事〔注二〕。崔彥昭雖然做了宰相，可是在退朝侍奉母親的時候，仍舊是非常孝敬。社會上的人們，都稱贊他的孝心。

他和王凝是姨表兄弟。王凝在宣宗大中初年間就先做了顯貴的官，而崔彥昭還是一個平民。那時，他去見王凝的時候，王凝用很驕傲的態度對待他。不戴帽子，不束衣帶，隨隨便便地向崔彥昭、說：「我看你還是去考個明經〔注三〕好了。也不必去想別的。」崔彥昭聽了，非常難過。到現在，他做了宰相，王凝却還在做兵部侍郎。

他的母親曉得他受過王凝的奚落。心想：這一下，他做了宰相，就要報復了。於是，就用激將的辦法，來使兒子放棄報復的心。他的母親叫婢女們做好了好多鞋子、襪子。他看到了，就問母親：「母親做好這麼多的襪子幹什麼？」他的母親說：「王家的妹妹和王凝，現在恐怕都要被你放逐了。我要做這些鞋襪，好穿來跟他們同走。」果然有孝心的崔彥昭，就流著眼淚跪在母親的面前，說：「母親呀！我怎麼敢報復王凝呢？」

〔注一〕兵部侍郎　官名。兵部的屬官。掌理武職銓選簡覈等事宜。

〔注二〕同中書門下平章事　（見第116篇的「注」。）

〔注三〕明經　（見第115篇的「注」。）

120 李畬的母親

李畬的母親，是一個有淵博見識而又正直的女性。李畬在朝廷做監察御史。有一次，公家發給他公糧。他量一下，在該得的三十斗之外，還有多餘。他就去問發公糧的食庫官：為什麼會有多？倉官說：「量給御史的米，量的時候，每斗都是堆起來量而不刮平的；所以會有多。」李畬說：「這樣行嗎？」倉官說：「行是不行。但是自來都是這個習慣。」李畬聽了，也就算了。

照規定：領公糧的官員，都要繳倉租的。李畬就又問倉官：「倉租要繳多少呢？」倉官說：「御史可以不要繳倉租。」李畬說：「這樣行嗎？」倉官說：「行是不行。但是自來都是這個習慣。」李畚聽了，也就算了。

李畚回到家裡，向母親說到這事。母親聽了非常生氣說：「你身爲御史，怎麼能這樣不廉潔呢？這簡直就是貪汚嘛！」說後，責令李畚趕快去退還那多領的公糧，並且照規定繳付倉租。李畚馬上照著做了。回家之後，他的母親又嚴厲地訓斥他一頓。第二天上朝之後，馬上上表彈劾倉官，也自請判罪。

事後，其餘各御史聽到了這回事，都內心感到慚愧。

121 董昌齡的母親

董昌齡的母親，姓楊。世居蔡州（注一）。原在代理蔡州刺史的吳元濟那裡做吳房縣（注二）的縣令。吳元濟反叛朝廷，董昌齡的母親楊氏就常常暗中訓誡董昌齡要分辨忠奸正邪，改邪歸正。但是，董昌齡因各種關係，尤其是怕母親受拖累的關係，心裡猶豫不決。不久，改做郾城縣（注三）縣令。楊氏又再三訓誡他，說：「反叛不忠的人，上天是不會給他幫助的。正相反，一定會給他敗亡的命運。你應該找機會降順朝廷。不要顧慮『我會受拖累』的情形。只要你能夠做忠臣，我即使是被逆賊殺死，也是心甘情願的。」董昌齡聽了母親的教訓，就下決心降順朝廷。

不久，朝廷的軍隊進逼郾城縣；董昌齡就開城投降。憲宗非常高興，就仍舊要他做郾城縣令，並且兼監察御史。董昌齡謝恩的時候向憲宗、說：「我的降順朝廷，全都是我母親的教訓；不然的話，我還左顧右慮。憲宗聽了，對楊氏稱讚不已。

事後，吳元濟捕捉囚禁楊氏，屢次要殺害，却因一些原因而沒有殺害。吳元濟失敗被誅後，節度使〔注四〕李遜表奏請封楊氏，結果楊氏被封爲北平郡〔注五〕太君〔注六〕。

〔注一〕蔡州　在現在的河南省。

〔注二〕吳房縣　在現在的河南省。

〔注三〕郾城縣　在現在的河南省。

〔注四〕節度使（見第107篇的「注」。）

〔注五〕北平郡　在現在的河北省盧龍縣東邊。

〔注六〕太君　朝廷加給賢母的封號。

122 陶齊亮的母親

陶齊亮的母親，姓金。歷史上稱她「金節婦」。陶齊亮是安南〔注〕賊兵的統帥。金氏對陶齊亮總是用「忠」「義」兩個字來訓誨他。但是，頑梗的陶齊亮總是不聽。於是金氏就和陶齊亮脫離母子關係。生活困難，就自己種田維持吃，自己紡織維持穿。鄉村裡面的人，大家都稱讚她，尊重她，效法她。代宗大曆初年間，朝廷賜給她兩個侍養她的人。地方官一年四季派人去慰問她，一直到她逝世。

〔注〕安南　土司名。在現在的雲南省文山縣西邊。

123　一個小孩的後母

清江縣〔注〕有一個婦人，姓魯。唐朝末年，到處是兵禍戰亂，老百姓常常逃難。有一次，魯氏帶著兩個兒子逃難。大兒子已經六七歲了，小兒子還止兩三歲。她帶兩個小孩子逃走的時候，却把六七歲的兒子抱著而把兩三歲的兒子反手提著。這樣就搞得非常走不動。好多人看到了，覺得很奇怪，但是都沒有心情去管她。最後，遇上一夥賊兵。賊兵們看到也很奇怪，就問她：爲什麼大的孩子反而抱著，小的孩子反而反手提著？她說：「少的是我親生兒子。大的是我丈夫前妻的兒子。我丈夫死的時候，曾經囑託我：要好好地看待這孩子。所以我才這樣抱他走。」賊兵們聽了，都非常感動；都稱她爲「義母」。不但不加害她，而且還送她好多日用的東西。她居住的鄉里，慢慢地在傳說的過程裡，說成了「風義里」。

〔注〕清江縣　在現在的湖北省。

124 李日月的母親

德宗建中四年，反叛朝廷的朱泚部下的驍將李日月，戰死在梁山〔注〕。朱泚派人把李日月的屍首運回去李日月的家鄉，交給李日月的母親。李日月的母親不但不哭，反而指著屍首罵道：「你這奴才！國家有哪一點對你不起？你却要反叛！你現在才死，死得太晚了！」

後來朱泚失敗之後，李日月家裡的人，都受到連坐的處分，只有李日月的母親沒有受連坐。

〔注〕梁山　山名。在現在的陝西省乾縣西北。

125 僕固懷恩的母親

僕固懷恩是鐵勒部（注一）人。安祿山史思明叛亂的時候，他追隨郭子儀討賊，建立了很大的功勞，被封為大寧郡（注二）王。後來却又誘合回紇（注三）吐蕃（注四），興兵作亂。但是他的部下，好多是郭子儀的舊部下，因此有不聽從他作亂的。在叛亂的過程中，在他兒子攻打楡次（注五）而攻打不下的時候，就有人把他的兒子殺死。

當他的兒子被殺死的時候，他就去告訴他的母親。他的母親非常生氣、說：「國家待你不薄。我教你不可以反叛國家。你却不聽。現在，你看，你的部下都變心。我看你怎麼去收場！我這番一定會死在你手上。」僕固懷恩聽了，馬上走開。他的母親提刀追趕他、說：「我要替國家殺死你這反賊！挖你的心肝去向軍營的將士謝罪。」僕固懷恩倉卒逃命。帶了三百人渡過黃河逃去靈武縣（注六）。慢慢地招收散兵，才恢復了一點兵力。

肅宗念他的舊功，不處罰他。下詔書用皇后車接他的母親去京師，並且給她優厚的贈與。

〔注一〕鐵勒部　種族名。先世是匈奴的後裔，後來歸屬突厥。地區在現在的青海省東邊。回紇拔野古同羅僕固薛延陀各部，都是他的同族。

〔注二〕大寧郡　在現在的熱河省。
〔注三〕回紇　種族名。先世是匈奴的後裔。後來歸屬突厥。和鐵勒同族。
〔注四〕吐蕃　國名。也寫作「吐番」。地區就是現在的西藏。
〔注五〕榆次　地名。在現在的山西省。
〔注六〕靈武縣　在現在的寧夏省。

126 獨孤師仁的乳母

獨孤武都原在隋朝末年背叛隋朝僭稱帝的王世充那裡做官。後來想背叛王世充而歸順唐朝。因為事機不密而被誅。獨孤武都有個兒子獨孤師仁，當時只有三歲。王世充因為他年紀太小，就沒有殺他；只是派人監視。

獨孤師仁的乳母王蘭英，向王世充要求：自願剃去頭髮、頸上戴上鐵圈、做婢女來照顧獨孤師仁。王世充准許了。王蘭英於是吃盡了苦頭，把獨孤師仁撫養長大。當時世局非常混亂，又鬧饑荒。餓死的人非常的多。王蘭英帶著獨孤師仁到處乞討或採摘野菜或撿拾野果充飢。得到了一點食物，總是全給獨孤師仁吃，自己老是喝水吃草根地皮。在這種情形之下，王世充的派人監視，就非常疏忽。王蘭英就利用一個適當的機會，帶著獨孤師仁逃去唐朝的京城。唐高祖很稱讚她的義氣；就下詔書褒揚她。詔書的要點是：「師仁乳母王氏，慈惠有聞，撫鞠無倦。提携遺孤，去逆歸朝。宜有褒隆，以錫其號。可封永壽郡〔注一〕君〔注二〕。」

〔注一〕永壽郡　在現在的陝西省。

〔注二〕師仁乳母……永壽郡君。這些話的語譯，大致是：獨孤師仁的乳母王氏，有慈惠的名聲，撫養一個三歲的小孩，沒有倦怠。照顧獨孤武都遺下的孤子，丟棄叛逆的王世充而歸順本朝。本朝該有隆重的褒揚，並賜給她封號。可以封她爲「永壽郡君」。

五代

127 唐莊宗的母親

唐莊宗（李存勖）的母親曹太后，是唐武皇帝（李克用）貞簡皇后曹氏。莊宗接位做晉王的時候，李克寧李存顥發動政變，情勢非常危急。曹太后召監軍（注一）張承業指著莊宗、說：「我丈夫死的時候，認為你是親信的人，用很親密的態度，把我這兒子交給你，希望你照顧。現在有政變，我們母子也不想保有王位。只希望你能夠保護我們母子有一個安身的地方，只要有飯吃而不致於在汴梁（注二）做乞丐就好了。」張承業聽了很感動，因此出力平亂。結果誅滅了李克寧李存顥而安定了莊宗的王位。

莊宗自己很會彈琴唱曲，也喜歡看戲，常常和戲子們親近。太后看到這種情形，常常對莊宗嚴厲訓斥。

唐朝昭宗天祐七年，莊宗要對外用兵。太后勸阻他、說：「我現在年紀多了。你只要守得住先人的事業，做得穩這晉王王位就好了。何必去勞兵傷財而做些近乎有野心的事呢？」可是，莊宗不聽教，硬要出兵。太后於是在莊宗帶兵出發的時候，在汾橋〔注三〕地方送莊宗的行，淚流滿面。愛護兒子的心，到老不衰。

〔注一〕監軍　官名。監督軍務的官。

〔注二〕汴梁　就是現在的河南省開封縣。

〔注三〕汾橋　橋名。在現在的山西省陽曲縣東邊。

128 李嚴的母親

李嚴，幽州〔注一〕人。在莊宗的時候做客省使〔注二〕，奉使去四川。他在四川看出了四川當局的軍政弱點，於是就回到京城，向莊宗上奏，說：可以出兵平定四川。莊宗聽他的話，果然把四川平定了。

明宗即位之後，李嚴要求做四川兵馬督監。這是要去四川做的官。李嚴的母親要他不要去做這官；對他說：「前些時平定四川，是你的計謀；大家都知道。現在你却要去四川做官。四川不服你的人很多。而現在的四川，又不比從前；軍政強人很多。你不特地去送給他們殺害嗎？」李嚴却不聽母親的教，一定要去。母親只好說：「那你眞是自己去送死。那我就只好從此和你永別了。」

結果，李嚴果然遭到四川的軍政強人孟知祥的殺害，完全符合他母親的預言。

〔注一〕幽州　在現在的河北省。

〔注二〕客省使　官名。掌管外國使者的朝見、四方的進貢和四夷的朝貢等事宜。

129 王殷的母親

王殷，瀛州〔注〕人。對人謙恭謹愼，也很有禮貌。這些德性，都是他的母親嚴格管敎他所得的結果。他平日交朋友，這朋友究竟可不可以交？他一定要先把朋友的爲人情形禀告母親；要得到母親的同意才可以交。否則，絕對放棄。他擔任過軍職。在軍隊裡交朋友該是可以比較標準放寬一些的；但是，他所交的朋友，還是不會違背母親平日所訓示的原則。他做刺史的時候，可以說是身份地位很高了；可是，如果他處理公務犯了過錯，他一定要讓母親知道；而母親對他的過錯，即使是小過，也要加以嚴厲的責罵，甚至輕微責打。如果是大過錯，就要被母親罰站在庭院裡面，然後被用板子責打。

〔注〕瀛州　就是現在的河北省河間縣。

130 劉崇諫的母親

劉仁贍，南唐彭城縣（注一）人。後周的軍隊來攻打壽春郡（注二），他堅守不降。在敵人圍城緊急的時候，他的小兒子劉崇諫却在夜晚開船過渡到淮河（注三）北岸去。這是嚴重違反軍令的事，一定要問斬罪。劉仁贍就下令要斬劉崇諫。監軍（注四）看到斬親人，有點不忍心；就去求夫人（劉崇諫的母親）出面救人。夫人却深明大義，不肯出面。她說：「劉崇諫是我親生的兒子，我怎麼會不疼愛他？他現在要問斬罪，我怎麼會不傷心？但是，軍令如山，不可徇私。否則，劉家就不是忠臣之家了。」終於儘管監軍怎麼要求，也不肯答應出面求情。只在事後哭得死去活來地辦理喪事。

（注一）彭城縣　在現在的江蘇省。

（注二）壽春郡　在現在的安徽省。

（注三）淮河　在現在的安徽省南陵縣南邊。

131 廖匡濟的母親

廖匡齊在楚王馬希範那裡做軍官。在討伐溪州〔注〕彭士愁的一次戰役裡，不幸犧牲。馬希範派人去向廖匡齊的母親弔唁。廖匡齊的母親告訴派去的人、說：「我們廖氏一族三百多人，都得受過大王豐厚的恩賜。就是全族三百多人都去替大王效死，也仍不夠報答大王的那厚待的恩惠。何況只損失了我一個兒子呢？請您轉告大王，不要把我兒子犧牲的事放在心上。」

馬希範聽到了這種忠心耿耿的話，非常高興；於是又優厚地撫邮她的家族。

〔注〕溪州（不詳。不知道：是不是指五溪山？）

132 侯延廣的乳母

侯延廣是在宋太祖乾德三年死後受贈中書令的侯益的孫。他在只有幾個月大的時候，不幸遭到和侯益作大對頭的王景崇叛亂的國難。侯益一家七十多人都在難中遇害。侯延廣的乳母劉氏，當時爲了救侯家的根苗，就用自己的兒子冒充侯延廣交出去接受殺害。然後抱著侯延廣一路討飯去到京師，把侯延廣交還給侯益。

宋朝

133 仁宗的母親

眞宗立劉氏爲章獻明肅皇后。沒有兒子。李宸妃生仁宗，劉氏就把來當自己的兒子。對待得非常慈愛。仁宗即位之後，劉氏就被尊爲皇太后。仁宗即位的時候，年紀還小；所以劉氏垂簾聽政。一共聽了十一年，死了之後，仁宗才親自主政。在垂簾聽政的過程裡，劉氏訓諭宰輔的臣子們、說：「皇帝在公餘之暇，應該召有大名的儒者，爲他講習經書；使他能夠進德。」於是臣子們就遵命在崇政殿的西邊一間大房子裡面，設置講席。召來一些有大名的儒者，天天給仁宗講述經書。在劉氏死去之前，仁宗一直不知道他的親生母親是李宸妃而不是劉太后。

134 英宗的母親

慈聖光獻皇后曹氏，是宋朝數一數二的良將曹彬的孫女。仁宗的皇后原是郭氏。因事被廢，改立曹氏爲皇后。英宗是太宗的曾孫，是接仁宗的皇位的人。英宗四歲的時候，生活在皇宮裡面，曹氏對待他非常的慈愛。所以英宗即皇位之後，就尊曹氏爲「皇太后」。英宗有病的時候，曹氏皇太后垂簾聽政。把國家治理得非常好。英宗的兒子神宗即位之後，就尊她爲「太皇太后」。

神宗支持王安石變法，本來是一件富國強兵的事。可惜操之過急，用人不當，於是就反而成了壞政。神宗有一天去後宮向曹太皇太后請安。曹太皇太后向他、說：「我聽說民間對王安石的新法，感到非常苦惱，你應該考慮廢止。王安石雖然有才學，但是怨恨他的人實在太多。而且好多才幹不下於他的人，也都怨恨他。新法就算是好，但是後果這樣差。你該應罷掉他的宰相，讓他去做外官或讓他退休才對。」神宗一下子當然接受不了這一教誡；但是曹太皇太后的見識和果決，由此可見一斑。

神宗想用武力收復燕薊（注一）地區的一些失地。事先向曹太皇太后請示意見。曹太皇太后說：「這是一樁關於全國人民生命禍福的大事。不能隨便亂動。最好是不要有這個念頭。因爲，能夠收復，只不過你做皇帝的有個面子，可以得到臣下的道賀一番罷了。萬一收復不了，勞師動衆，勞民傷財，全國老百姓就受害不淺了。再說，如果可以收復，太祖、太宗的時候，早就已經收復了。何必等到今天你來收復？」神宗聽了，深切體會到曹太皇太后愛民痛民的心。連忙回答說：「太皇太后的訓示，我敢不受教？」

蘇軾有一首詩的內容，朝廷認爲有怨恨朝廷的含意，於是把蘇軾交給御史臺獄（注二）判罪。大家都知道：多半會被判死罪。曹太皇太后在病中聽到這會事，就對神宗、說：「我記得先皇帝仁宗在科舉考試裡面得到了蘇軾兄弟，非常高興說：『替子孫們選得了兩個好宰相。』現在蘇軾因爲一首詩就被交去御史臺獄判罪。那一定是仇人的中傷。搜罪證搜到了詩上面去，這會有什麼大的罪呢？要加罪，那就是羅織了。我病的快死了，恐怕管不到這件事。你應該仔細考慮這件事，千萬不可以寃枉好人，免得有傷中和。」神宗聽了很感動，哭著答應：會照辦。蘇軾終於免了一場禍害。

〔注一〕燕薊　燕，指幽州。薊，是薊州。都在現在的河北省。

〔注二〕御史臺獄　御史臺的法庭。朝廷官員犯有重大的罪的，就交給御史臺獄判罪。御史臺，官署名。設置御史大夫等官、掌理糾察等事的官署。

135 神宗的母親

宣仁聖烈皇后高氏，是英宗即位之後所立的皇后。英宗的兒子神宗即位之後，就尊她爲「皇太后」。神宗生病快要死的時候，宰相王珪就請求立神宗的兒子延安郡〔注〕王爲皇太子。請太后暫時垂簾聽政。那個時候，皇太子還只十歲。一天，太后哭泣著撫摸皇太子的頭而對近臣、說：「這孩子非常孝順。自從他爸爸生病，他沒有一天不親切侍奉他爸爸。並且常常寫佛經代他爸爸求福壽。他的書法寫得非常地好。論語，他已經讀完了七卷。平日，絕不像一般小孩一樣地喜好戲耍。」說完之後，就叫皇太子走出簾外去見宰相王珪等一些臣子。王珪等再拜謝恩並且祝賀。高太后就叫宮裡面的庶務人員，趕快去製一件合適十歲小孩穿的黃袍。要他製好之後，秘密地拿來。這是準備萬一神宗死了，皇太子就馬上可以穿起來即皇帝位。

不久，神宗死了，皇太子即位。那就是哲宗。尊高皇太后爲「太皇太后」。高太皇太后垂簾聽政九年。在這九年裡面，一方面要處理國事，一方面對哲宗的飲食起居，照顧得無微不至。高太皇太后病得快要死了的時候，召宰相和其他一些輔弼臣子來到簾前訓示說：「我這次的病，一定不會好。今天精神稍微好一點，就特地要你們到這裡來。我就在今天和你們道死別。皇帝年紀還輕，希望你們好好輔弼他。」

〔注〕延安郡　在現在的陝西省。

136 孝宗的母親

憲聖慈烈吳皇后，開封府〔注一〕人。十四歲、高宗做康王的時候，被選進皇宮。高宗即皇帝位之後，被封爲和義郡夫人〔注二〕。不久，進封才人〔注三〕。又不久，進封貴妃〔注四〕。邢皇后死了之後，被封爲皇后。

起初，孝宗因爲是高宗的嫡長子，被召進皇宮生活。由張氏撫養。那個時候，吳皇后還是才人。也請准了可以撫養一個兒子。當時議論紛紛，都以爲吳皇后別有用心，想將來把自己撫養的兒子立爲皇太子來接皇帝位。其實吳皇后心胸開闊，沒有這陰謀。不久，張氏死了。吳皇后就把孝宗接過來撫養；同時撫養兩個兒子。吳皇后對待兩個兒子，完全一樣；絲毫沒有偏心。孝宗也性情非常好，恭敬儉約，喜愛讀書；高宗、吳皇后都非常愛他。封他爲普安郡〔注五〕王。

吳皇后向高宗、說：「『普安』，是『普遍安定』的意思。能夠使得天下的生民普遍安定的，在自然界就是天上的太陽；在人，那就只有皇帝了。」吳皇后的意思，是要立孝宗爲皇太子，自己撫養的那兒子，就叫他離開皇宮而到別的地方去住。高宗也很同意吳皇后這意思。不久，高宗就讓位給孝宗，親自下詔書，尊皇后爲「太上皇后」。

孝宗即位之後，有一次，吳太上皇后和孝宗的兒子，討論到「用人」的問題。吳太上皇后說：「應該看重舊臣子。」又有一次，孝宗的孫子在身邊。吳太上皇后就教訓他一些做人做事的道理。重要的，是：要多讀書。要明辨是非邪正。教導百姓，要以立綱常爲先。

〔注一〕開封府　在現在的河南省。

〔注二〕郡夫人　有郡主封號的婦女。
〔注三〕才人　女官名。
〔注四〕貴妃　女官名。地位只比皇后差一級。
〔注五〕普安郡　就是現在的四川省劍閣縣。

137 孟昶的母親

孟知祥是五代後蜀的君主。他原是後唐莊宗時候的劍南、西川節度使。明宗的時候叛變，佔據兩川〔注一〕地區。閔帝的時候稱帝。國號「蜀」。歷史上叫「後蜀」。

孟知祥稱帝之後一年就死了。他的第三個兒子孟昶接位。孟昶生活奢侈，喜歡打球、跑馬之類的玩樂。因爲地勢的關係，國家的壽命才拖了一些年。

孟昶即位之後，就尊他的母親李氏爲皇太后。朝廷用的一些人，都是一些只有玩樂本事而沒有辦事才能的人。像：王昭遠，伊審徵，韓保正，趙崇韜，他們一批人，孟昶都用他們分掌機要。他的母親看到這種情形，非常替他擔憂；因此告誡他、說：「我從前看過莊宗和你父親的用人情形。亂世用人，不是有將才、有軍功的，不會給他高的官職。凡給他高官職的，都是知兵而有將才或軍功的。因爲在亂世，軍事是第一重要的事。現在你用的人，像：王昭遠；只是你小時候求學的時候，給你做日常雜事的人。他怎麼能夠治理國家大事？韓保正等人；都是朝廷享世襲爵祿的人，完全沒有軍事知識。一旦國家有緊急軍事行動。這一批人有什麼本領去抵禦敵人？像：高彥儔；是你父親的舊人。又貞忠又有才能經驗。這種人，任用了他，對國家非常有益。你却不用。我看你這國家，將會是沒有好的結局。」但是，不管母親怎麼說，孟昶總是不聽。

不久，宋朝的大將曹彬等伐蜀，勢如破竹的進攻，蜀國沒有一個守將能夠抵擋，都紛紛投降。宋兵攻到了夔州〔注二〕。夔州守將高彥儔，却極力抵抗。宋軍勸他投降，他堅決不理。最後抵抗到再沒有抵抗的力量了，他就穿上整齊的服裝，向西北拜了幾拜；然後走上城樓，縱火自焚而死。孟昶母親所說的話，這時候完全應驗。可見孟昶母親的眼光。

最後，兩川被宋軍打平。孟昶投降。孟昶的母親跟著到宋朝的京師。過不幾天，孟昶就死了。孟昶的母親不哭。只用酒灑在孟昶靈位前的地上而對孟昶的靈位，說：「你不能爲國家犧牲。貪生怕死而落得今天的投降。我本來早就要自殺。我所以不自殺，是想留住自己守在你身邊，看看能不能使你聽我的教訓而對國家有益。現在一切都完了。你也死了。我沒有繼續活下去的必要了。」於是，接連好幾天不吃飯；就這樣餓死了。太祖聽到這個消息，非常哀痛而又讚佩她。

〔注一〕兩川　指：東川、西川。就是現在的四川省。

〔注二〕夔州　在現在的四川省。

138 李端愿的母親

荊國大長公主，是太宗的第六女。下嫁給駙馬都尉〔注〕李遵勗。生有李端愿兄弟。平日常常告誡李端愿兄弟要修養忠義的德行，不可驕奢自滿。尤其不可憑恃自己母親是公主就驕縱自大。

不幸，不知怎麼却患上眼病。仁宗知道了，就派去好的醫生給她治療。也不時去看她的病。有一次去看病的時候，還親自用舌頭去舔她的病眼。又問李端愿兄弟：「需不需要什麼東西？」李端愿兄弟只幾歲，答不出話；去問母親；公主就趕快教訓李端愿兄弟、說：「藉母親有病去得受人家的賞賜，是不光榮的事。千萬不可說『需要』。」

不久，更不幸兩眼失明。但是，公主一點也不傷心。平日安閒靜坐，過著沖淡的生活。想到死後的事，公主常常告誡李端愿兄弟、說：「你們的父親死的時候有遺囑，要我不可以在棺材裡面放進金玉之類的貴重物品。就是衣衫，也只是穿普通的衣衫就好；不可以穿貴重衣衫。所以，我死了之後，也要照你們的父親的遺囑去做。」

仁宗皇祐三年公主逝世。諡「獻穆」。

〔注〕駙馬都尉　官名。掌管有關皇帝副車的馬等事宜。

139 劉溫叟的母親

劉溫叟，河南郡〔注一〕洛陽縣〔注二〕人。他的父親劉岳，在五代後唐的時候，做到太常卿〔注三〕。到五代後晉的時候，劉溫叟也做到太常卿。他拜官之後，回家去替母親祝壽。母親叫他在廳上等候。不一會，聽到簾子裡面有奏樂的聲音。接著兩個穿黑衣衫的人抬一個箱子出廳上來。然後由箱子裡面拿出一件紫色的長袍。這時候，劉溫叟的母親，從廳後面捲起簾子出來會見劉溫叟，說：「這是你的父親做太常卿的時候，內庫〔注四〕所賜給的。現在剛剛可以給你穿了。」劉溫叟跪拜後接受下來；觸景生情，不覺淚下。接上，去打開影堂〔注五〕祭祀祖先。做了一篇感情豐富的告文〔注六〕，在那裡宣讀。劉溫叟的母親聽了，感愴了好多天。

〔注一〕河南郡（見第33篇的「注」。）

〔注二〕洛陽縣（見第63篇的「注」。）

〔注三〕太常卿（見第90篇的「注」。）

〔注四〕內庫　朝廷裡面的財物倉庫。
〔注五〕影堂　設置了祖先的畫像以供後人祭祀的廳堂。
〔注六〕告文　告祭祖先的抒情文

140 賈黃中的母親

賈黃中，滄州〔注一〕南皮縣〔注二〕人。太宗淳化二年，和李沆同時拜給事中〔注三〕參知政事〔注四〕。有一次，太宗召見他的母親王氏，賜他的母親坐，並且對她、說：「你教兒子教得這麼好，眞可以說是孟母。」同時，作頌讚詩賜給她。又賞賜非常豐厚的財物。

賈黃中做事太過謹愼，所以沒有什麼建樹。朝廷於是就要他去做襄州〔注五〕刺史。他因爲母親年老，上奏請求仍留京城。於是，改派他去做澶州〔注六〕刺史。他向太宗辭行的時候，太宗告誡他、說：「做事小心翼翼是好行爲，但是太過小心翼翼，就不好了。」因此順便向近侍的臣子、說：「我常常想到賈黃中的母親有賢德。七十幾歲還顯不出什麼老。我每次和她說話，她都是爽朗敏捷。像賈黃中那樣成天憂愁畏首畏尾，一定要比他母親先老。」因此又轉向參知政事蘇易簡、說：「你的母親也像賈黃中的母親一樣。自古以來，賢母眞不可多得。」

太宗至道二年，賈黃中只五十六歲就死了。他的母親却還在。果然符合了太宗說他「會比他母親先老」的話。

太宗知道賈黃中家很貧窮，所以賜贈了他母親一些錢。葬好賈黃中之後，賈黃中的母親就去謝太宗的賜贈。太宗又再賜她白金三百兩。並且向她、說：「你不要擔憂你的一些孫子的生活。我不會忘記你家的。」

〔注一〕滄州　在現在的河北省南皮縣東南方。

〔注二〕南皮縣　在現在的河北省。

〔注三〕給事中　官名。在朝廷管奏章之類事宜的官。

〔注四〕參知政事　官名。同平章事是宰相，參知政事是副宰相。

〔注五〕襄州　就是現在的湖北省襄陽縣。

〔注六〕澶州　在現在的河北省。

141 蘇易簡的母親

蘇易簡，梓州〔注一〕銅山縣〔注二〕人。太宗太平興國年間，做知制誥〔注三〕。雍熙年間又做翰林學士〔注四〕。因爲母親年紀老了，（他的父親，太宗淳化二年就死了。）所以想升官的心情非常急。於是就向太宗上書陳述當時政治的缺失；得到太宗的賞識，就任命他做參知政事〔注五〕。

有一個叫「何光逢」的，是蘇易簡的父親的朋友。那人曾經做過縣令，在任期裡面犯了貪汚罪，被撤職。後來那人流落在京師，生活困難，就去做考生的搶手賺點錢維生。剛剛那個時候，是蘇易簡主持考試的事宜。知道了這種情形，不但不看在父親朋友的面上，瞎一隻眼閉一隻眼去通融那人，而且還積極地打擊他，不讓他搶手順利。那何光逢火了，就寫文章說朝廷的壞話，到處散佈。也兼帶罵蘇易簡。蘇易簡也火了；就搜集那人的毀謗文章，奏上朝廷去。結果，當然，那人就必死，被判了棄市〔注六〕罪而被棄市。蘇易簡的母親，知道了這會事，就嚴厲地責罵他，說：「你怎麼能夠殺害父親的朋友呢？」蘇易簡也後悔，哭著說：「我當初也想不到竟會判這樣重的罪。這眞是我的罪過！」

在蘇易簡做參知政事的時候，太宗召他的母親去朝廷。賜給她鳳冠、霞帔〔注七〕。問話的時候，又賜她坐。她坐下之後，太宗問她：「你是怎樣敎誨你的兒子的？——使他能夠有今天的成就。」她回答說：「小時候，主要的是敎他養成禮讓的習慣。長大之後，就敎他詩書等經書，並且督促他切實用功。」太宗聽了，向左右近臣、說：「這眞是一位孟母！」

蘇易簡喜歡喝酒。太宗屢次勸他不要喝。並且做了兩首勸他戒酒的詩，親筆用草書寫給他。要他常常跪在他母親的面前朗讀。蘇易簡照做了之後，就不敢再嗜好喝酒了。

〔注一〕梓州　在現在的四川省。

〔注二〕銅山縣　在現在的四川省。

〔注三〕知制誥　官名。草擬朝廷詔誥的官。

〔注四〕翰林學士　官名。草擬詔書的官。

〔注五〕參知政事　（見第140篇的「注」。）

〔注六〕棄市　（見第33篇的「注」。）

〔注七〕鳳冠霞帔　都是婦人的禮服。鳳冠是禮帽。霞帔是禮披肩。

142 呂希哲的母親

呂希哲是哲宗元祐年間的宰相呂公著的兒子。他的母親魯氏，教兒子嚴格而有法度。呂希哲從小就受「事事循規蹈矩」的嚴格家教。他小小年紀雖然只有十歲；但是，不管是大冷天或大熱天，在父母面前總是整天站著。父母不叫他坐，他就不敢坐。見父母或別的長者，服裝一定整齊。平日在父母面前，即使是大熱天，也不敢脫去襪子和衣服。去茶樓酒館喝茶喝酒，更是絕對不去。淫邪的流行歌曲，從來不聽，淫邪的書籍或圖片，從來不看。由於母親這樣嚴格的教育，呂希哲的德器成就，就大大與衆不同。

143 呂希哲妻子的母親

呂希哲妻子的母親，是呂希哲母親的姐姐。她對她的女兒，固然是非常鍾愛，但是也管教得非常嚴格。極細小的事，只要是牽涉到德性，就一定要管到教到。比方：吃的方面，只能在家庭裡面照大家的樣一起吃，不得另外吃私菜。所吃的，在好吃的方面，頂多是加點魚肉，不能再吃更好的。女兒嫁給呂希哲之後，有一天，她去看望她的女兒。她看到她女兒住的地方另外設置了炒菜的鍋。她很不以爲然。就馬上有責備的意味地對她的妹妹（呂希哲的母親）、說：「你怎麼能夠讓兒媳輩做私菜來破壞家法呢？」

144 劉安世的母親

劉安世在哲宗元祐年間宣仁太皇太后攝政的時候做諫官。在還沒拜受的時候，他有點怕做這種官。於是去請教他的母親、說：「朝廷現在要我做諫官。我如果要做，不負責任就可恥。如果負責任，就必須直言切諫。一下子搞得不好，就有殺身之禍；最少是要被貶到偏遠地區去做官。現在皇上正是以孝治天下。如果用『母親年紀老』做理由去辭掉，是會被批准的。不知道：母親的意思怎樣？」他的母親聽了，毫不考慮地說：「你這個顧慮大不對。諫官是天子的諍臣。當年你父親想做這個官却得不到。你現在眞是有幸，能夠得到這個官，怎麼還想不做呢？你應該大膽去做。就是犧牲生命，也在所不辭。如果是被流放，那就不管地區是遠是近，我都會跟著你去。」

劉安世得到母親這番鼓勵，就決意去拜受。拜受之後，正色立朝，面折廷爭，毫無畏懼。人們都叫他一個綽號，叫「殿上虎」。

據東都事略的記載：哲宗紹聖初年，劉安世終於因諫諍而得罪，被貶去新州〔注〕。他的母親很安泰地說：「這是意料中的事，我沒有半點不愉快的感覺。」

〔注〕新州　燕雲十六州之一。就是現在的察哈爾省涿鹿縣。

145 歐陽脩的母親

歐陽脩的母親，姓鄭。歐陽脩四歲就死了父親。當時家境非常窮苦，沒有錢請老師教歐陽脩讀書，都是由鄭氏親自教讀。練字，沒有錢買紙筆，就用荻草那不軟不硬的枝榦當筆，在比較平坦的泥地上教寫字和練習寫字。「畫荻教子」，現在已經成了有名的形容母教的成語。

附：

原文

歐陽脩瀧岡阡表（節錄）

（上略）

脩不幸生四歲而孤。太夫人守節自誓。居窮，自力於衣食；以長以教，俾至於成人。太夫人告之曰：「汝父爲吏，廉而好施與。喜賓客。其俸祿雖薄，常不使有餘。曰：『毋以是爲我累。』故其亡也，無一瓦之覆，一壠之植，以庇而爲生。吾何恃而自守邪？（中略）」

太夫人姓鄭氏。（中略）太夫人恭儉仁愛而有禮。（中略）自其家少微時，治其家以儉約。其後常不使過之。曰：「吾兒不能苟合於世，儉薄所以居患難也。」其後脩貶夷陵（注），太夫人言笑自若；曰：「汝家故貧賤也，吾處之有素矣。汝能安之，吾亦安矣。」

意譯

（上略）

我歐陽脩不幸在四歲的時候就死了父親。我的母親立志守節。處在極貧苦的境遇裡，用弱女子自己的一點能力來謀得衣食；藉以撫養我長大，也藉以敎育我，使我成爲一個能夠自立的人。這時候，我的母親就告訴我、說：「你的父親做官，很清廉却又喜歡把錢贈送給別人。喜歡招待客人。他的薪俸雖然少，可是他還是用得很寬，而且老是每月把薪俸完全用光，不會有一點剩餘。他說：『我這樣做，是我故意不要積存錢；因爲錢一有積存，人就一定會受錢的拖累。』所以，他去世以後，馬上就沒有一片瓦的居住地，沒有一行田土的農作物，可以靠它們來維持住吃的生活。我憑藉什麼來守節呢？（中略）」

我的母親姓鄭。（中略）我的母親恭敬、節儉、仁慈、對人有愛心、有禮貌，也一舉一動不違反禮儀。（中略）自從我們家我少年時候貧窮而地位低的時候起，她老人家就一直是以儉約來維持家境。後來我地位高了而也有較豐厚的收入，她老人家却仍舊是不超過這儉約的標準。她對我說：「我的所以始終是保持儉約的習慣，是因爲看到你性格正直，一定不能在社會上同流合汚，那就遭遇患難而流於貧苦的機會多。這樣，儉約就剛剛能夠適應那患難貧苦的處境。」後來，我果然遭遇患難，被貶謫到夷陵去做官。我的母親談笑自在；她對我說：「你家一直就是貧窮而地位低，我早就非常習慣了。所以，只要你對貶謫的生活能夠安心過著，我也就安心了。」

〔注〕夷陵　在現在的湖北省。

146 吳安詩的母親

續世說的作者孔平仲輓吳充〔注一〕夫人的詩裡，有兩句說：「贊夫成相業，教子得中言。」〔注二〕這「子」，指的是吳安詩。

吳安詩有賢良的德行。哲宗紹聖初年，以左史〔注三〕的職位，代理中書舍人〔注四〕。當時朝政有缺失，因責任心的驅使，他就想把那些缺失，直率地向哲宗指陳。但是想到母親年紀老了，萬一觸怒哲宗，加個罪名，不是死，就是貶；想到這裡，就不敢上奏指陳。他把心情禀告母親。母親大大不以爲然；一再催促他上奏指陳。他聽了母親的話，馬上上奏。結果，果然遭到被貶官的命運。但是他的母親，一點也不感到遺憾。

〔注一〕吳充　是神宗時候的宰相。接王安石的手做宰相。

〔注二〕贊夫……中言　這兩句詩的意思，是：贊助丈夫成功宰相的事業，教訓兒子使他有智能而得到中書舍人的官。

〔注三〕左史　官名。記述皇帝起居情形的官。

〔注四〕中書舍人（見第82篇的「注」。）

147 畢士安的繼母

畢士安在眞宗時候和寇準一同做宰相。他少年時候，非常好學。對繼母祝氏非常孝順。祝氏也對他十分慈愛。祝氏認爲：求學必定要有好的老師或朋友。於是就帶他去各處訪求老師或朋友。結果，求得了楊璞、韓丕、劉錫，都是很有學問很有品德的人，爲他後來做宰相奠定了基礎。

148 賈易的母親

賈易，在徽宗的時候，官位最高做到右諫議大夫〔注〕。他七歲的時候就死了父親。家境貧窮。母親彭氏每天勤苦地做些紡織的女工賺點微薄的收入來維持生活。但是爲了鼓勵賈易努力求學，還是每天給賈易十個錢去作買零食或買愛好的雜物的零用。賈易看到母親這樣勤苦賺錢，要賺到十個錢，實在不容易；因此也就不敢用掉。每十天積滿了一百個錢，又仍舊全數還給母親。母親就用來買些較有營養的食物給賈易吃，藉以增進身體的健康。

〔注〕右諫議大夫　官名。掌侍從規諫的官。

149　寇準的母親

寇準是眞宗時候的好宰相。他少年時候，不但喜歡打獵，而且沈迷於打獵；簡直不讀半句書。他的母親不知對他訓斥了多少次，他總是口頭上答應改，實際上却一點也不改。他的母親原是很慈祥的。每次訓斥，總是細聲細氣。因此他就越來越放肆。有一次，使母親太忍不住了；在訓斥得非常氣憤的當兒，順手拿起身邊一個秤槌〔注〕，往他脚部丢去。意思還無非是想嚇嚇他，看看有不有改，並不想打中他。不想，不幸，却打中了脚背。馬上就血流不止。事後醫了好幾十天才醫好。醫好之後，還留下了一塊大疤。

由於母親這次的太氣憤，刺醒了他的沈迷心；從此，寇準就折節向學。

等到他做宰相的時候，母親早就已經死了。他每次看到自己脚上的那塊疤，就會想起母親：「如果不是當年母親的嚴厲敎訓，今天說不定早就走入了下流而被處死了。哪裡還會做宰相呢？」想想，不覺眼淚像雨一般掉了下來。

〔注〕秤槌　舊時用桿秤。支點用繩子穿著，便於提拿。重點放置要稱的物件。力點放置秤槌，可以左右移動。秤槌一般是用生鐵或熟鐵做成的。也有用銅做成的。重量，看桿秤的大小。小桿秤秤槌的重量，大約是半市斤。大桿秤秤槌的重量，有重的小孩子拿不起的。

150 陳堯叟兄弟的母親

陳堯叟兄弟三人。陳堯叟是老大。老二是陳堯佐。老三是陳堯咨。老大、老二，官位都最高做到宰相，老三也最高做到知制誥〔注一〕。

三兄弟的母親馮氏，管教兒子非常嚴格。陳堯叟即使是做宰相的時候，回到家裡侍奉母親，都要和顏悅色，不敢有一點不週到的地方；否則要受嚴責。陳堯咨善射箭，在當時沒有人比得他上；所以自號「小由基〔注二〕」。他在做荊南郡〔注三〕太守的時候，有一次回家探望母親。母親問他：「你做太守，有什麼值得特別稱道的事嗎？」陳堯咨答說：「有。我箭射得好。當今沒有人比得我上。我天天以射箭爲樂。」他的母親聽了，非常生氣；責罵他、說：「你的父親曾經屢次教訓你，要極盡忠心爲國家辦政事。現在你腦子裡不想到對老百姓要施仁政講德化，儘管天天一腦子一夫之勇。這是你父親的心志嗎？」說氣憤了，接上就拿棍子打過去。把他身上佩帶的金魚飾物〔注四〕都給打碎了。

三兄弟的父親，做諫議大夫。三兄弟自己又都做這麼大的官。所以，他們的家境，就憑俸祿收入，也是個富家。但是，馮氏，對於各個兒子，都不准許他們稍微有奢侈的行為；否則要重責。

馮氏活到八十多歲還很健康。比陳堯叟還後死幾年。朝廷曾封她為上黨郡〔注五〕太夫人。

〔注一〕知制誥　（見第141篇的「注」。）

〔注二〕由基　古時候善於射箭的人。姓養。由基是名。射技：在百步之外射楊柳葉子，百發百中。

〔注三〕荆南郡　在現在的湖北省。

〔注四〕金魚飾物　舊時官員佩帶的飾物。有一定的制度。親王佩帶玉魚。一品官到四品官佩帶金魚。以下佩帶銀魚。

〔注五〕上黨郡　在現在的山西省。

151 蘇軾兄弟的母親

蘇軾有兩兄弟。蘇軾是哥哥。弟弟是蘇轍。兩兄弟的爸爸蘇洵，在他們少年的時候，經常在外不在家。整個教讀的責任，都落在他們的母親程氏的身上。經史各書，都是程氏親自教授。

蘇軾讀後漢書讀到范滂傳。蘇軾雖然很年輕，却世情經驗不差。因此，對范滂的遭遇，又感動，又敬佩，又感歎。就問母親、說：「如果我將來遭到范滂一樣的遭遇，我要做范滂，母親是不是贊成呢？」他的母親毅然決然地回答說：「你會做范滂，難道我就不會做范滂的母親嗎？」（注一）

附：

司馬光程夫人墓誌銘（節錄）

原文

（上略）夫人喜讀書，皆識其大義。軾、轍之幼也，夫人親教之。常戒曰：「汝讀書，勿效曹耦，止欲書自名而已。」每稱引古人名節以勵之、曰：「汝果能死直道，吾無戚焉。」已而二子同年登進士（注二）第。又同登賢良方正科（注三）。自宋興以來，惟故資政殿大學士吳公育與軾制策入三等。轍所對語，尤切直驚人。由夫人素勖之也。若夫人者，可謂知愛其子矣。（下略）

意譯

（上略）夫人喜歡讀書。對所讀的書，都能夠了解其中重要的含義。蘇軾、蘇轍幼小的時候，都是夫人親自教他們讀書。常常告誡他們、說：「你們讀書，千萬不可以像一般的同輩人一樣，只想著書求到自己出名就夠了。讀書的目的，在增進生活智能，更在變化氣質。」所以夫人常常引說古人有關名節的事蹟來教導勉勵蘇軾、蘇轍兩個人。她說：「你們將來如果能夠因了維護直道而死，我就沒有悲苦愁苦遺憾了。」後來蘇軾、蘇轍他們兩個人，一同考中了進士。又一同考中了賢良方正科。宋朝從開國到現在，只有已經去世的資政殿大學士吳育先生和蘇軾的制策列入三等。蘇轍對策裡面的話，更是懇切直率，叫人看了驚嘆。這些都是因爲夫人教誨他們的時候，經常有著勉勵的話的緣故。像夫人這種人，可以說是非常懂得怎樣才是眞正愛自己的兒子的道理的人了。

〔注一〕就問……親嗎（范滂的事，見第41篇。）

〔注二〕進士（見第100篇的「注」。）

〔注三〕賢良方正科　科擧的科目。

152 程顥兄弟的母親

程顥有兩兄弟。程顥是哥哥。弟弟是程頤。他們兩個人的母親姓侯。侯氏治家有法度。並不過於嚴厲却能夠把家庭治理得非常有條理，把家人敎誨得非常有規矩。不但子女，就是奴僕婢女，也不會打罵。子女有責罵奴僕婢女的，她就要阻止；並且告誡子女、說：「貴賤雖然不同，但是，大家都是『人』。」子女有過錯，她一定要把過錯的情形，告訴丈夫。她說：「子女的所以會變壞，都是母親遮瞞他們的過錯，不告訴父親而讓父親去處罰。這樣，子女就當然會變壞了。孩子一兩歲大的時候，初初學步，總難免會跌跤。侯氏看到了，都要責備那孩子、說：「你看！走路不小心。你小心一點慢慢走，就不會跌倒了。」

程顥、程頤小時候吃飯的時候，要跟着母親規規矩矩地坐在位子上吃，不可以端着碗東走西走吃。吃菜，不可以在菜碗裡亂翻亂挑。更不可以另外拿點調味料（如：醬油、辣醬之屬。）來調和菜吃。否則，就要受到阻止和訓責。她說：「一個人小孩子的時候就任性滿足欲望，長大了之後，就眞不得了了。」所以程顥兩兄弟生平對於吃的、穿的，從來不會揀這挑那，什麼不好的也吃也穿；除非實在是不能夠吃的、不能夠穿的。他們生平也從不罵人。這些都是侯氏教誨的效果。

153 尹醇的母親

尹醇的母親，姓陳。治家有條理而嚴肅。雖然家境非常貧苦，但她一點也不憂愁，一定勤苦謀生。尹醇小時候，她就教他養成好習慣。一說一笑一舉一動，都要合理合禮。尹醇長大之後，她就教他經義。到了有相當程度，就叫尹醇去從程頤求學。在這過程裡，陳氏常常告誡尹醇，說：「學問有根本。一定要得到了根本上的收穫才算是眞有收穫。好像耕田，荒田不去耕固然不好，耕了沒有收穫也不行。學問根本的收穫是什麼呢？是學得做人的道理，做一個有品德的人。品德的程度，希賢，希聖，那就是百尺竿頭更進一步的事了。」

哲宗紹聖初年間，尹醇去參加科舉考試。出的題目裡面，竟有「誅元祐諸臣（注卅）議」的題目。

尹醇看了，嘆氣說：「唉！考這種題目，我還想考取了去做官嗎？」於是交了白卷出來。然後去禀告老師程頤。並且說：「我不願考出這種題目的考試。我不想中進士（注二）了。」程頤說：「你有母親在世，而家境又那麼貧苦，不考中進士去做官，怎麼辦呢？」尹醇於是回去將情形禀告母親。母親說：「你的決定最對。窮苦沒有關係。我只曉得要你有人格來供奉我，不曉得要你有不義的俸祿來供養我。我寧願吃任何苦，不願你損人格。你的決定最對！」

程頤聽到了尹醇的母親的這番話，大大地稱讚說：「眞是一位賢母呀！」

（注一）元祐諸臣　指元祐黨人。一共有一百一十九個人。都是反對王安石新法的人。爲首的是司馬光。其次是：呂文著、文彥博、蘇軾、程頤、黃庭堅和當時的文人學者。都是一些有一流品德學問的人。

（注二）進士　（見第100篇的「注」。）

154 張奎的母親

張奎是仁宗時候的高級官員。（最高做到樞密直學士（注）。）母親姓朱。他和弟弟張亢少年時候都由母親親自教他們讀書。張奎有客人來家裡的時候，朱氏就在他們房間的窗外，藉做別的事，順便聽他們裡邊講話。如果他們講的是讀書方面的正事，朱氏就很高興，就辦好好點的菜，留客人吃飯。如果他們老是談閒話，甚或是說些好笑好玩的事，朱氏就很不高興。不但不留客吃飯，而且還要在客人去後訓斥張奎。

張奎年輕的時候嗜好喝酒。有一次喝酒誤過大事。朱氏非常生氣，訓斥了他一頓非常厲害的訓斥。幾乎要用棍子責打他。命令他從此以後要戒絕。張奎果然從此戒絕了。

〔注〕樞密直學士　官名。太宗太平興國四年，樞密院設置直學士六人，備顧問應對。

155 張浚的母親

張浚原在高宗紹興年間做宰相。被秦檜等奸人陷害被貶永州〔注一〕。他在永州，想到秦檜勢必誤國，於是想上疏指陳國家當前被奸人搞壞了的危機。但是想到：母親年紀老了，如果因上疏直言而出了禍事，母親就受不了。想到這裡，氣憤跟憂愁接踵而來。不出幾天，身體就瘦了好多。他的母親計氏，看到他天天愁眉不展而又身體變得瘦削，不知道：是爲了什麼？於是盤問他。他就從實稟告母親。母親聽了，也不說話，只拿出他父親在哲宗紹聖初年間所作的對策文，念了下面的兩句話給他聽：「

臣寧言而死於斧鉞，不忍不言以負陛下〔注二〕。」張浚聽了這兩句話，於是下決心上疏。

疏文重要的話，是：

當今事勢，譬如養成大疽於頭目心腹之間；不決不止。惟陛下謀之於心，謹察情僞。使在我有不可犯之勢。庶幾社稷安全。不然，後將噬臍。〔注三〕

疏被批去三省〔注四〕共同研辦。秦檜看了，非常憤恨；於是把他放逐到遠遠的封州〔注五〕去。臨行的時候，他的母親送他、說：「你去吧！你安心地去吧！你是因爲忠直而遭到禍害。你內心會有什麼慚愧呢？絲毫不會有。你以後只更勉力地讀聖人書就好了，不必掛念家裡。」

〔注一〕永州　在現在的湖南省。

〔注二〕臣寧……陛下　這兩句話的意譯，是：我寧願上疏說直話因而得罪而被殺，不忍心不上疏說直話因而對不起您皇上。

〔注三〕當今……噬臍　這些話的意譯，是：目前國家的內政非常顯得黑暗，奸人處理政務，好像一個人頭上、眼睛上、心臟上、肚子上長了癰疽一樣。如果不開刀把那癰疽割去，那黑暗的情形，就永遠不會停止。我希望皇上能夠用細心去觀察：誰是忠臣誰是奸臣？使我們的國家在敵國面前有強固不可以侵犯的印象。這樣，國家就會安全。不然的話，將來就後悔不及了。

〔注四〕封州　就是現在的廣東省封川縣。

156 岳飛的母親

岳飛的母親，姓姚。早年岳飛去從軍的時候，叮囑妻子在家好好照顧母親。後來，黃河南北一帶地區淪陷在金國人的手裡，岳飛就和母親失去聯絡。岳飛派人尋找了好幾年，總是找不着。後來却又突然有人從他的母親那裡來見岳飛；並且帶來了他母親的口信。大意是：「你媽要我向你說：願你勉力爲皇上多出力對抗敵國，保衞國家。不必掛念你媽。」岳飛照著這條線索派人去迎接他的母親。終於在艱苦地去接了十八次之後才接到。〔注〕

〔注〕你媽……你媽 在小說精忠岳傳裡面，有「岳飛少年時候，他的母親在他的背上刺了『盡忠報國』四個字勉勵他爲國盡忠；」的記述。但是宋史岳飛傳裡面沒有這記述。不過仍舊有類似的話：岳飛被誣陷關進監獄之後，朝廷命中丞何鑄去審問他。他撕破衣衫的背部，露出背來給何鑄看。背上刺有「盡忠報國」四個字。何鑄找不到岳飛的任何罪證，就心裡明白：這全是秦檜的誣陷。

157 种放的母親（注一）

种放，河南郡（注二）洛陽縣（注三）人。自小就沈默好學。七歲就寫文章寫得很好。父親要他去考進士，他沒有這個志趣，就推說學業還沒有學好，不可以亂動。他的志趣是隱居山間。不多久，他父親死了。幾個哥哥都熱中功名和做官，他一個人却獨自去隱居。他母親也喜歡隱居；他於是和母親一同去隱居終南山（注四）豹林谷的東明峯。在那裡蓋一個茅草房屋居住。招些學生來講習，賺點束脩（注五）來維持生活。母親不但「願意」過這種粗衣粗食的生活，而且比种放「樂意」的程度還更高。

太宗淳化三年，陝西轉運宋惟幹向朝廷稱讚种放的才學和品德，太宗就下詔派人去召他去朝廷做官。這時候，他母親非常生他的氣，說：「我叫你不要招學生講學，隨便做點別的像耕田之類的工作，也可以維持生活。你却不聽。現在不是因講學的名聲而惹來了麻煩嗎？既然要隱居，就不要去搞名聲。現在你搞名聲，弄得我們不得安居。那，你去做官好了。我一個人還是躲去深山隱居去。」种放聽了母親的責備，非常惶恐；於是就裝病倒床爬不起來。那才騙過太宗派來的人。他的母親馬上就把所有講學的筆硯都毀掉，然後帶种放再逃去窮僻人跡少到的深山裡去隱居。

後來，太宗又在一些人的稱讚聲中，知道了他隱居的去處；於是下詔京兆尹（注六）賜贈緡錢（

〔注七〕給种放供養母親，成全他「不做官」的志趣，叫有關官府，年年去訪問他們，照護他們。

〔注一〕种　音ㄔㄨㄥˊ。

〔注二〕河南郡　（見第33篇的「注」。）

〔注三〕洛陽縣　（見第63篇的「注」。）

〔注四〕終南山　山名。也叫「南山」「中南山」「地肺山」。主峯在陝西長安縣南邊。

〔注五〕束脩　學生送給老師的學費性財物。

〔注六〕京兆尹　官名。京城的長官。

〔注七〕緡錢　中間有孔可以用繩子穿成一串的銅錢。

158 鄒浩的母親

鄒浩做右正言〔注一〕的時候，宰相是章惇。鄒浩常常有發言觸怒章惇的場合。那時候，哲宗廢孟皇后立劉氏爲皇后。鄒浩認爲不對，上疏切諫。哲宗猶豫不決，交給章惇研辦。章惇就藉機報復而把鄒浩放逐去新州〔注二〕。

徽宗即位之後，把鄒浩召回來，仍舊做右正言。徽宗很稱讚他的「諫立劉皇后」的事。向他要諫疏草稿看，他却早已把草稿燒掉了。那個時候是蔡京做宰相。蔡京又是素恨鄒浩的人。聽說他的諫草燒掉了，就僞造一份有觸怒徽宗的話的諫草害他。結果，又被放逐到昭州〔注三〕去。

鄒浩做右正言的時候，稟告他的母親，說：「有言責的人，看到朝廷有不合理的事，如果不敢說話，那就可恥。我將來恐怕總有一天會招禍而連累母親。」他的母親却毅然決然說：「你能夠忠心爲國，我有什麼憂愁恐懼？」等到劉浩兩次被放逐，他的母親都是處之泰然。人們都稱讚他的母親爲賢母。

〔注一〕右正言　官名。掌諫議的官。

〔注二〕新州　（見第144篇的「注」。）

〔注三〕昭州　就是現在的廣西省平樂縣。

159　王聃的母親

王聃的祖父王倫，爲朝廷出使北地犧牲了生命。孝宗訪求王倫的三個沒有官位的孫子給他們做官。

王朒就是其中的一個。那個時候，金國來侵略的外患非常嚴重。抗戰又屢屢打敗仗，求和又難以接受金國的條件。但是，盱衡情勢，還是不得不求和。在求和的過程裡面，派遣了七次使者去金國，談和不成。想再派使者，沒人可派了。因爲做使者是要把生死置之度外的事，所以很少有人願意擔任這個工作。孝宗的近臣，向孝宗推荐王朒，王朒也願意去，於是升他一個適當的官位，要他去出使金國。

王朒應允了這個任務之後，回家去禀告他的母親。他的母親鼓勵他、說：「你的祖父爲國家盡忠而死，所以今天你才有官做。你應該勉勵自己堅決爲國盡忠。有任何生命危險，也不要放棄忠義的原則，更不可以因爲顧慮到我而來軟化堅決的忠心。」王朒受了母親這番鼓勵，前往金國終於完成了朝廷的使命。

160 韓肖胄的母親

韓肖胄是韓琦的曾孫，是韓忠彥的孫。韓琦是仁宗嘉祐年間的宰相，韓忠彥是徽宗時候的宰相。韓肖胄在高宗紹興三年，拜端明殿學士。拜學士之後，朝廷就要他出使金國。那時候金國非常囂張。出使的人往往有生命危險。但是他平時受了母親文氏的忠義教誨，還是非常願意去。臨動身之前，他的母親叮囑他、說：「我們家幾代都得受國家的大恩。你這次出使，該要極力盡忠報國。千萬不可以因了顧慮我而有所畏縮。」高宗聽到了文氏這種忠義情形，非常高興，稱讚她爲賢母。封她爲榮國夫人。

161 唐璘的母親

唐璘是寧宗嘉定年間的進士〔注一〕。在朝廷做六部監門官〔注二〕。因爲成績好，升任監察御史〔注三〕。升官是好事；但是他一聽到他被升監察御史却害怕起來。有關方面找他去接事，他却嚇得躲起來。他的母親看到他這種情形，就對他、說：「人們都說『監察御史』是一個好的官職。有好多人想做却得不到手。你却反而躲避不去接事。你這是顧慮什麼呢？」他回稟母親、說：「我是顧慮母親。因爲這個官職，是一個爲朝廷爭是非的官職。有時候要拂逆皇上的心意，有時候要忤逆權貴。搞得不好，就有生命危險。我並不是怕死。我是顧慮：我如果招來了禍事，母親的生活就受影響了。」他的母親說：「你，這個，不必顧慮。你儘管盡你的忠。萬一有什麼不幸，我的生活，有你的哥哥維持。你不必擔憂。」唐璘聽了母親的話之後，就放心了；就馬上去到職。到職之後，還不到一百天，就做了好多直言無隱的事。人們都說：「又看到了唐介〔注四〕了。」

〔注一〕進士（見第100篇的「注」。）

〔注二〕六部監門官　官名。掌理朝廷官員進出官府、謁見長官、請假等事的官。由有才力的文官擔任。

〔注三〕監察御史　官名。掌理糾察內外官吏等事的官。

〔注四〕唐介　神宗時候的一位直聲動天下的御史。當時士大夫們都尊稱他「眞御史」。不敢叫「唐介」而只敢叫「唐子方」。

（「子方」是唐介的字。）

162 胡穎的母親

胡穎的母親，姓趙。她有兩個兒子。長子胡顯，有勇力。所以喜歡練武功。拳術弓箭刀槍功夫非常好。所以，做了武官，有著戰功。次子胡穎却正相反。對於文事非常有天才。成童的時候，就都能背誦名經。所以中了童子科〔注一〕。因爲受了哥哥的影響，中了童子科之後，又想練武功。他的母親認爲：就性近的事求發展，就比較容易有成就；同時，胡家歷代都是習儒業重文事的。於是就不許胡穎再去練武，以免分心。結果，胡穎果然在文事方面有成。歷史上稱讚他：「吐辭成文，書判下筆千言。根據經史，切當事情。倉卒之際，對偶皆精。讀者驚嘆。〔注二〕」最後，官也做到經略安撫使〔注三〕。

〔注一〕童子科　科擧考試，科目的名稱。宋朝的制度：凡十五歲以下，能夠通解經書，會做詩賦，就由各地方官報去朝廷由皇帝親自考試。考及了格，就是中了童子科。

〔注二〕吐辭……驚嘆　這幾句的意譯，是：運用修辭技巧寫文，寫判決書之類的公文，一下筆就思路源源而來，沒有阻滯。內容有經史上的根據，所說事理自然確切妥當。就在急忙要寫成的場合上，也是寫的詞句完整的。讀了他文章的人，沒有一個不驚奇嘆服。

〔注三〕經略安撫使　官名。掌理一路兵民的事。

163 陳文龍的母親

陳文龍，福州〔注一〕人。益王（端宗）在福州稱制〔注二〕，任用他做參知政事〔注三〕。那個時候，國家是存是亡，情勢非常危急。元軍利用降將猛烈進攻。各處的守軍都紛紛投降。福州的知州王剛中也投降。陳文龍以極少的兵力堅守城池。敵人勸他投降，他不理。可是，不幸，他的手下的將林華又投降。最後他就無法支持了；終於被敵人抓住。敵人要他投降，他不肯。脅迫他，侮辱他，他始終不屈。敵人就將他枷著用囚車解到杭州〔注四〕去。他就在路上絕食。終於餓死。

他的母親，被敵人拘禁在福州的一個尼姑庵裡。病得非常厲害。身邊的人看到這種情形，都傷心得掉淚。他的母親却毫不在意地說：「我和我的兒子能夠在同一情形之下死去，這正是我求之不得的事。我沒有一點遺憾。」也絕食餓死。人們都歎息說：「有這種母親，才會有陳文龍這種兒子。」好多人都樂意爲她辦理喪事。

〔注一〕福州　就是現在的福建省閩侯縣。

〔注二〕稱制　代理行使皇帝的職權。

〔注三〕參知政事（見第140篇的「注」。）

〔注四〕杭州　就是現在的浙江省杭縣。

164 劉當可的母親

劉當可是理宗紹定年間利州路（注一）的提擧（注二）。母親姓王。劉當可接她在興元府（注三）的任所奉養。那時候，元軍攻破了蜀郡（注四）。提刑（注五）龐授發檄文（注六）給劉當可，要他去共同抗敵。劉當可猶豫不決。就將情形禀告母親。母親毅然決然勉勵他、說：「你旣然食君祿，就要報皇恩。國家有難，你決不能畏縮躲避。」劉當可聽了母親的鼓勵，就毅然前去。母親就留在興元府。不久，元軍攻陷興元府城，大肆屠殺，劉當可的母親，當然也不能倖免。只是爲了避免受元軍的侮辱，就搶先投江而死。

事後，朝廷贈她和義郡太夫人。

〔注一〕利州路　在現在的廣西省。
〔注二〕提擧　官名。主管特種事務（如：茶、鹽、水利。）的官。
〔注三〕興元府　在現在的陝西省。
〔注四〕蜀郡　現在的四川省中部一帶地區。
〔注五〕提刑　官名。提點刑獄的官。
〔注六〕檄文　軍事公文。

165 陳日新的母親

陳日新的母親，姓王。因爲非常有德行，所以鄉人們都很敬重她；大家都叫她「陳堂前」，好像一般人尊稱自己的母親一樣。

王氏十八歲嫁給陳安節。一年多些，陳安節就去世。只生有陳日新一個兒子。兒子稍微長大之後，她就馬上聘請有名的老師教導兒子。因此，兒子二十歲就進了太學。只可惜兒子三十歲就去世了。有兩個孫子。都努力學問，後來很有成就。子孫遵守王氏的遺訓，一家和順，五世同堂。並且以孝友儒業，聞名遠近。孝宗乾道九年，下詔表揚她的家門。

166 吳賀的母親

吳賀的母親，姓謝。她只有吳賀一個兒子。平日她對兒子的教誨，非常嚴格。尤其在「不要議論人家的長短」一點上，特別重視。因爲她極重視馬援在戒兒子嚴敦書裡面所說的「吾欲汝曹聞人過失，如聞父親之名；耳可得聞，口不可得言也。（注一）」和「申父母之戒（注二）」的話。她認爲：議論了人家的長短，就是馬援所說的「膽敢直說父母的名字。」那就等於遺忘了自己的父母。所以，吳賀每次在家裡和客人說話的時候，她總是特別注意聽。一聽到吳賀有那毛病，等到客人走後，她就要嚴厲斥責吳賀。

但是，好議論人長短，是人的通病。要切實做到不犯這通病，非常的難。所以吳賀有時還是會不小心把這毛病顯露出來。

有一天，吳賀又在和客人談話的時候，不知不覺犯了這毛病。而且這次大概是由於太氣憤，犯這毛病特別犯得大。他母親聽到了，非常氣憤；等到客人走了，就用板子責打了吳賀幾十板子。隔壁的伯伯聽到了責打聲，就來勸阻、說：「說人長短，是誰也難免的事。你何必生這麼大的氣呢？」謝氏說：「南容再三地誦讀白圭篇的詩句（注三），孔子就把姪女嫁給他。馬援認為：說了人家的長短，就等於直說了父母的名字，也就等於遺忘了自己的父母。一個人有一個遺忘自己父母的兒子，那個兒子還會是一個長久發家的兒子嗎？」說著就儘哭泣不停。並且延了一天多不吃飯。吳賀受了這次教誨，就再也不敢說人家的長短了。

〔注一〕吾欲……言也　這句的意譯，是：我想要你們聽到人家的過失，就好像聽到自己父母的名字一樣：耳朵可以聽，嘴巴上却不可以說。

〔注二〕申父母之戒　再三申說父母的訓誡。

〔注三〕白圭篇的詩句　指下面的那詩句：白圭之玷，尚可磨也；斯言之玷，不可為也。那詩句的意譯，是：白圭的汚點，還可以磨得掉，說話一有汚點，就去不掉了。

167　余翼的母親

余翼的母親，姓陳。是余楚的後妻。余楚的前妻有兩個兒子。陳氏生了余翼之後，第三年余楚就去世了。遺下來的家產，照一般後母對待前妻兒子的情形，余楚前妻的兩個兒子，是不可能得到家產的。可是，陳氏，却出人意料，不但讓那兩個兒子可以得到家產，而且把全部的家產給與他們。自己的兒子余翼，就在他十五歲的時候，叫他去外地訪求良師益友求學。余翼在外地十五年沒有回家。最後考中了進士〔注〕，得到了官職，才回家迎接母親去任所奉養。

後來余楚前妻的兩個兒子搞得非常貧苦，陳氏又帶他們到自己兒子的任所維持他們的生活。

〔注〕進士（見第100篇的「注」。）

168 金國哀宗的母親

金國哀宗的母親，是宣宗明惠皇后。姓王。她的性情端莊嚴肅，管教兒女非常嚴格。哀宗做皇太子的時候，如果犯過，一定嚴厲責備，有時甚至鞭打。到了做皇帝之後，犯了過才免除鞭打，但是仍舊有嚴厲的責罵。

有一次，有近臣誣告哀宗的哥哥荊王有謀反的打算。哀宗不細察眞假，就把荊王下獄準備處死。

太后知道了，就告誡哀宗、說：「你只有一個哥哥。却聽信讒言要殺害他。你實在太糊塗了，太忍心了。」哀宗聽了，才把事情搞清而使荊王免除了一場冤禍。

169 牛德昌的母親

牛德昌的父親牛鐸，在遼國做將作大監〔注一〕。牛德昌小時候，他父親就死了。教讀的事，都是由母親親自擔任。牛德昌長大後要做官。本來可以做蔭官。所謂「蔭官」，是靠祖先的功德而得的官。世俗對這種官，很看不起。所以牛德昌的母親，很爭志氣而不屑這種官。所以一直鼓勵牛德昌努力向學，用自己的力量去得官。結果，皇天不負苦心、有心人，牛德昌中了金國熙宗皇統二年的進士〔注二〕。馬上就做了自力得來的官。

〔注一〕將作大監　官名。管朝廷土木工程的官。漢朝的時候，叫「將作大匠」。（見第45篇的「注」。）

〔注二〕進士　（見第100篇的「注」。）

元朝

170 別的因的母親

別的因在襁褓（注一）的時候，他的父親抄思，正擔任攻打金國的任務。他就在祖母康里氏那裡受撫養。抄思勝利回來不久就死了。他的母親張氏就把他從祖母那裡接回來。（不久，祖母也死了。）別的因將要到成年人的時候，他的母親告誡他、說：「一個人最少要有三個品德，才可以夠得上『成人』：第一個品德是：知道畏懼。孔子說的『畏天命，畏大人，畏聖人之言。（注二）』都包括在內。第二個品德是：知道羞恥。孟子說的『不恥不若人，何若人有？（注三）』就是一例。第三個品德是：知道艱難。不知道稼穡的艱難，就會暴殄天物。不知道『創業難，守成亦不易。』，就會是一個敗家子、亡國君。」別的因聽了母親的訓誨，謹記在心，勉力以赴。後來，他自己做到大將軍。他的兒子也做了很高的官。孫和曾孫，都中了進士（注四）。一個賢母，能夠帶動產生好多賢能的人。

（注一）襁褓　音ㄐㄧㄤˇ、ㄅㄠˇ。包着嬰兒綁在背上的東西叫「襁褓」。所以就用來指嬰兒。

〔注二〕畏天……之言　這句的意譯是：怕昧心做壞事會被天誅。怕行爲不好會被有高地位的人笑。怕不能照聖人的話去身體力行做個好人。

〔注三〕不恥……人有　這句的意譯是：自己樣樣沒有人家好，却不覺得羞恥，那就永遠會沒有一樣會有人家好了。

〔注四〕進士　（見第100篇的「注」。）

171 安童的母親

安童是成吉思汗手下的大將木華黎的四世孫。世祖中統初年，朝廷追錄元勳，於是召安童去做宿衞長〔注〕。那時候，安童只有十三歲。說起來，還是一個小孩子。可是他母親宏吉剌氏對他施有良好的教育，所以他少年老成；官居百官之上，絲毫沒有做不來的現象。

他的母親是世祖昭睿順聖皇后的姐姐。在皇宮裡面登記了姓名，領到了出入證，可以自由出入皇宮。有一天，碰見了世祖。世祖就在說了一些別的之後，問到了安童的性情品行。她回答說：「安童很聽教，所以還不錯。雖然年紀還小，料不到他將來會怎樣；但是照我教他的情形看來，他將來可能會有點大成就。」世祖說：「怎麼見得呢？」她說：「我平日教他：做人最重要的是一個『敬』字。他很聽話。所以他每天退朝回家之後，都是和家裡老成人談有分量的話，從來不和一些小孩子玩。所以我看他將來會有點大成就。」

這是「少年老成」。世祖不久之後，也看出了安童的少年老成。有一天，安童侍候在世祖身邊。那時候，世祖想殺一大批曾經和他作過對的人。心裡還有點猶豫不決。就把情由說給安童聽而徵求安童的意見。安童回答說：「人各爲其主。他們的和你作對，是他們忠於他們的主。皇上目前的國勢，只不過初初安定。就因了私怨而殺那麼多的人。其餘想來歸附皇上的，就會害怕而裹足不前了。」世祖聽了安童的話，大吃一驚說：「你一個小孩子，竟說得出這麼老練的話。眞是難得！」因此深深敬佩安童的母親的良好家教。

安童後來果然官位最高做到了宰相。

〔注〕宿衛長　官名。皇官值夜警衛隊的隊長。

172 岳柱的母親

岳柱是文宗、寧宗時候的官。官位最高做到行中書省平章政事〔注〕。爲人有大度量。有人欺侮他，他毫不介意。常常有親友問他：「人家欺侮你，你怎麼這樣老實，一點都不反抗呢？」他說：「

那欺侮我的人，表面上看來，是欺侮我，實際上，却是他自己欺侮自己。就憑『生氣』一點說，他就損害身體大太了。欺侮人不是要生氣才會有欺侮的行動嗎？至於別的損害，還有不少。所以欺侮人的人，終究是自己欺侮自己。」這些話，傳到岳柱母親的耳裡，她心裡不知道有多麼的快樂。因爲這些道理，都是岳柱小時候她教給他的呀。

〔注〕行中書省平章政事　分管以地區區分的一部分政事的宰相。

173 拜降的母親

拜降是武宗、仁宗時候的官。他出生後幾個月父親就死了。母親徐氏，撫養教誨，非常盡心。常常向人、說：「我只這麼一個孩子，不讓他好好地受教育，我就不但對不起他的爸爸，也對不起孩子自己，也對不起我自己。」所以，拜降一到成童的時候，她就讓他去外地從名師求學。

後來拜降做官很有聲譽，徐氏雖然老了，也仍舊非常高興。她說：「我有這麼一個好兒子，我死也瞑目。」武宗二年，徐氏去世。朝廷因爲她盛年守節，教子有方，雖然當時酒禁極嚴，武宗還是命令地方官，送了十罎酒到墓所供祭奠的用度。

174 伯答兒的母親

伯答兒在世祖至元年間做都指揮使〔注一〕。至元二十六年，奉命征伐杭海〔注二〕。那時候，敵人的兵力非常強盛。時間拖久了，軍糧就大大缺乏。伯答兒以前每次都是打勝仗，立有很多軍功。這番如果失敗，就會前功盡棄。他的母親乃咬眞知道了這緊急情形，就毅然決然把全部家財，都捐出來購買軍糧。家中全部牲畜也捐出來充軍食。結果才贏得這場戰爭。

事後，世祖非常稱贊乃咬眞的忠心，賞賜了她好多財物。

〔注一〕都指揮使　官名。掌禁衛的官。

〔注二〕杭海　地名。在現在的山西省外漠北和林城北。

175 拜住的母親

拜住是安童〔注一〕的孫。母親怯烈氏，二十二歲就寡居守節。拜住做官的時候，年紀只有二十

元　拜住的母親

歲。有一天，他官府裡的職員，跑來家裡要他在一件重要公文簽署名字。他那個時候，剛剛在後花園裡看一些小孩做捉迷藏的遊戲。母親看到這情形，就嚴厲地責罵他、說：「二十歲的人，年紀不小了。還這樣貪玩。公文還要別人到家裡來找你簽名。這成什麼話！你看做官究竟是大人的事還是小孩的事呀！」拜住聽了，非常慚愧，自後就再也不敢貪玩了。

有一天，拜住侍奉英宗飲宴。英宗平素聽說他不會喝酒。但是怕是假的。於是就想試試他；硬要他喝幾杯。他雖然推辭了一會，但是終於還是喝了。而且喝得毫不感覺勉強。這就顯出了「還是有想喝酒」的情狀。英宗也沒說什麼。回到家裡之後，拜住把情形禀告母親。母親警告他、說：「你這還是有想喝酒的情狀。顯然皇上是試你。你以後千萬要注意，不可以喝酒。最少是不可以多喝酒。」拜住從此以後，就一直不敢多喝酒。

有一次，拜住代理朝廷去睿宗〔注二〕的原廟〔注三〕祭祀睿宗。回來之後，他的母親問他、說：「眞定〔注四〕官府的人，對待你怎樣？」他回答說：「很好。待我非常優厚。」母親說：「你知道爲什麼會待你好嗎？這不是你自己的關係。這是我們祖先有功勞的關係。你不要自滿。你要善自警惕。」拜住後來最高官位做到宰相。有這成就，全是母親對他有良好教誨的緣故。

〔注一〕安童（見第171篇。）

〔注二〕睿宗　成吉思汗（太祖）第四個兒子拖雷的廟號。

〔注三〕原廟　再建的廟。

〔注四〕眞定　路名。在現在的河北省。

176 耶律善哥兄弟的母親

耶律留哥，契丹〔注一〕人。原在金國做統領一千兵的武官。因為被金國猜疑，就離開金國另外招兵。結果，兵數達到十萬。大家就推他為遼王。立他的妻姚里氏為妃。但是他不願自己做王，願意歸附元太祖。歸附之後，太祖對待他很好，仍舊封他遼王。而他也替太祖建立了好些戰功。

耶律留哥死了之後，太祖剛剛要去征伐西域。就命姚里氏暫時接替耶律留哥的職位。可是一接替就是七年。等到太祖征伐西域回來，姚里氏就帶了她自己生的（不是前妻生的）兒子耶律善哥兄弟和從子、孫兒，去河西見太祖。太祖說：「健勁的老鷹都飛不到的地方，你一個女人卻能夠帶這麼多的兒孫來。眞有本領！」於是賜給她酒，慰勞她一番。然後，她向太祖奏說：「耶律留哥去世之後，我代理他只是暫時。長久沒有一個正式統領的人，部下官兵會不安的。耶律薛闍是耶律留哥的長子。應該他去接他爸爸的位。但是他在皇上的身邊做侍衞做了好多年，皇上可能不會讓他離開。所以，我現在想到一個辦法；就是：叫耶律善哥去接替耶律薛闍的職位。好讓耶律薛闍去接他爸爸的位。不知道：

皇上以爲怎樣？」太祖說：「耶律薛闍現在已經是蒙古人了。我已經賜給了他『拔都魯（注二）』的名號了。他不可以離開我去接他爸爸的位了。還是讓耶律善哥去接吧。」姚里氏再拜哭泣著說：「耶律薛闍是耶律留哥前妻的兒子。是嫡子。耶律善哥是我生的兒子，是庶子。如果要我的兒子去接他爸爸的位，對我而說，就顯得我自私。我看皇上還是讓耶律薛闍去接位吧。」太祖聽了姚里氏這些話之後，非常欽佩她的賢良。於是賞給了她驛騎四十騎，要她跟著去征伐河西。又賜給她從河西俘得的人九個，馬九匹，白金九錠；其餘錢幣器皿，都以「九」計。應允她：由耶律薛闍去接耶律留哥的位。耶律善哥、耶律鐵哥等，就留在朝廷做官。只讓她的小兒子耶律永安送她回家鄉去安享老年。

（注一）契丹　國名。就是遼國。

（注二）拔都魯　元朝皇帝賜給臣下的美好稱號。涵義是「勇敢」。

177 奧敦世英的母親

奧敦世英，女眞（注一）人。太祖攻下山東淄州（注二）的時候，淄州的老百姓，推舉他做首領，帶頭投降。太祖就給他做萬戶（注三）。不久，太祖又改派他做德興府（注四）府尹（注五）。那時候，金國的經略使〔注六〕苗道潤，領兵想收復山西失地。太祖派奧敦世英去抵禦。他一仗把苗道潤打得大敗。俘虜了好多官兵。他打算把那些官兵，通統殺掉。他的母親知道了這事，就嚴厲地責備他、說：「你是金國貴顯家族的後代。你應該忠於金國才對。你却貪生怕死而投降。現在還要殺害自己國家的人。你怎麼這樣忍心呢？」奧敦世英聽了母親的話，非常慚愧；因此就不敢殺害那些俘虜。

〔注一〕女眞　種族名。建立金國的種族。
〔注二〕淄州　就是現在的山東省淄川縣。
〔注三〕萬戶　官名。管理軍事的官。分上、中、下三等。上等管兵七千以上。中等管兵五千以上。下等管兵三千以上。
〔注四〕德興府　在現在的河北省。
〔注五〕府尹　官名。掌理一府的政務的長官。
〔注六〕經略使　官名。掌一路兵民事務的官。

178 楊賽因不花的母親

楊賽因不花，楊是姓。原名漢英。賽因不花是後來的賜名。他家歷代在宋朝做播州〔注一〕安撫使〔注一〕，世祖至元十六年，宋朝亡國之後，楊漢英的父親，就歸附元朝。仍舊做播州安撫使。楊漢英五歲的時候，父親就死了。九歲的時候，他的母親田氏帶他去上京〔注三〕見世祖。世祖很同情他們的處境；向近臣、說：「楊家寡母孤兒，跋涉萬里，來到朝廷，實在太可憐了。」於是讓楊漢英照舊擔任他父親播州安撫使的職位。賜給金虎符〔注四〕。並賜名「賽因不花」。

〔注一〕播州　（見第95篇的「注」。）
〔注二〕安撫使　官名。掌一路兵民事務的官。
〔注三〕上京　京城的通稱。
〔注四〕金虎符　調動州郡兵員的時候，使者所用的憑證。是萬戶佩用的。

179 陳祐的母親

陳祐，趙州〔注一〕寧晉縣〔注二〕人。自小就會自動努力向學。但是家境十分貧苦。不但買書沒有錢，連借書也因爲貧窮而全家人社會地位都低，因而沒有人願借書給他。他的母親張氏，看到了這種情形，非常傷感，但是想兒子讀書有成的意志愈堅。除了勤苦做女紅賺錢撑持全家生活外，沒有餘錢買書，她就每隔一段時間，剪下自己的頭髮，編成假髮去賣錢（注三），把這錢給陳祜買書。陳祜原就很好學；在這種情形下，更是大爭志氣，加倍努力讀書。所以長大之後，就博通經史；不但是個有學問的人，而且是個極有德行的人。在世祖至元年間做官，不但是正直官、清官，而且是慈愛百姓的官。死後，地方父老領導群衆立祠拜祭他。

陳祜的文學也非常有成就。著有詩文，編成了節齋集。（陳祜，字慶甫，號節齋。）

（注一）趙州　在現在的河北省。

（注二）寧晉縣　在現在的河北省。

（注三）剪下……賣錢　舊時用女人的長頭髮編成的假髮，非常値錢。

180 姚天福的母親

姚天福，絳州（注一）人。世祖至元五年，拜監察御史（注二）。常常在朝廷，對於抓權專横的大臣，檢舉他們的錯過，當着皇帝和百官的面，嚴厲譴責，毫不留情。世祖非常稱讚他的正直。賜名「巴兒思」。意思是：不怕強悍，好像老虎。

「當拜御史的時候，他的母親就曾告誡他、說：「古話說：『公爾忘私，國爾忘家。』做一個有言責的臣子，就該秉公正直，不怕權貴，知無不言，言無不盡。即使有生命危險，正義所在，也不能顧。顧慮家人，更是不必。所以你決不必因了顧慮我而犧牲正直。你能正直，我就會因此而死，也死得光榮。你要切記我的這教訓。」姚天福的能盡言責，受世祖的稱讚，他本人的修養，固然是因素；但是更大的因素，就是他母親有正直的教誨。他聽了母親的教誨之後，自己就先去請求御史臺（注三）的臺長、說：「監察御史是一個有言責的官。任何場合要直言。這就難免要得罪人而招禍。如果不幸我因盡責而要加我罪，我希望只罪我一個人，甚至一家人也可以；却千萬不要罪及我的母親。」他和他母親的這些話，後來傳到了世祖的耳裡。世祖讚歎道：「巴兒思，他們母子雖然是現代人，但是他們的那種義烈的精神，恐怕只有在古人裡面才可以找到。」

（注一）絳州　就是現在的山西省新絳縣。

（注二）監察御史　（見第161篇的「注」。）

（注三）御史臺　官署名。管糾察事宜的官署。

181 劉哈剌八都魯的母親

劉哈剌八都魯，河東縣〔注一〕人。家裡歷代做醫生。世祖的時候，在朝廷太醫院擔任管勾〔注二〕。

昔里吉叛變，宗王別里鐵穆而奉命去征討。世祖要劉哈剌八都魯跟去從事軍中醫療工作。他雖然很慷慨地答應了世祖願去；可是，因爲家裡有老母，心裡總是放心不下。剛剛將要出發的時候，他的母親病倒了。他聽到了消息，就藉機會向世祖請假。世祖准了他的假，他馬上就回去探望母親。可是他不敢把「答應了世祖去參加軍隊遠征」的事稟告母親。但是他的母親，由他的言行舉止，却看得出他要去遠征的情形來。於是很斬截地訓誡他、說：「這是忠君愛國的事，你一定要安心地去，不可以猶豫。不可以因爲掛念我而不想去。你要去了我才心安，我的病才會好。否則，你好像是孝，實在是不孝。因爲我會因此很快死去。」

劉哈剌八都魯聽了母親的訓誡，就只好向母親辭行而去。分別的時候，因爲忍住眼淚不流下，忍得鼻血暴出，拖了走好幾里路之久鼻血沒有停止。母子這樣情深，可見母親當分別的時候，一定也是出奇地內心難過，只不過是強忍著沒有顯出罷了。

〔注一〕河東縣　就是現在的山西省太原縣。

〔注二〕管勾　官名。掌管文書、出納、會計、財物保管等事宜。

182 虞集兄弟的母親

虞集是宋朝孝宗年間的名宰相虞允文的五世孫。父親虞汲，娶楊氏，是國子祭酒〔注一〕楊文仲的女兒。楊文仲家，歷代研究春秋出名。楊文仲的族弟參知政事〔注二〕楊棟，又對性理學特別有研究。所以他家是有名的書香世家。楊氏在娘家的時候，就在學問方面進修得有相當基礎。

虞集生下來就非常聰明。三歲就知道讀書。當時戰亂情形非常厲害。虞汲帶著一家人寄居外地，沒有書本用來教孩子們閱讀。楊氏就憑記憶，口頭背出論語、孟子、左傳、歐、蘇文，用來教虞集和他的弟弟虞槃。虞集兄弟後來的有成就，完全是由於楊氏的那種家庭基礎教學。

〔注一〕國子祭酒　官名。主持國子學的人。國子學是舊時國家唯一的大學。

〔注二〕參知政事　（見第140篇的「注」。）

183 賀仁傑的母親

賀賁是當時一個有戰功的軍人。爲人厚重而有義氣。有一次，在修整房屋的時候，在破敗的牆壁裡面，偶然發現一大堆金子。一稱，有七千五百兩。這，輪在別人，是多麼高興的事情；而他，却不以爲意。他對妻子鄭氏、說：「俗話說：『一個普通人無緣無故得到這麼大的財物，這是有大禍降臨的先兆。』這話是對的。我們不能要這種財物。」他的妻子鄭氏，也覺得他的話很對。於是在商量之後，決定拿去獻給軍中。那個時候，世祖以皇太弟的身份，受詔征討雲南。駐軍六盤山（注一）。賀賁就拿了那些金子，到六盤山去獻給世祖。順便向世祖請求：讓他的兒子賀仁傑在軍中擔任一點什麼工作。世祖就給賀仁傑做宿衞（注二）。

賀仁傑跟隨世祖南征北討，很有功勞；世祖非常愛重他。

後來有一天，世祖叫賀仁傑到他身邊，拿出一些金子來對他、說：「這是你父親當我在六盤山的時候所獻出的金子。現在我聽到你母親來了。我特地把這些金子還給你。你可以把這些金子拿去作供養你母親的用度。」賀仁傑不敢接受，極力委婉辭謝。世祖却始終要還他。他不得已，只好去請示母親。母親說：「不接受，却之不恭。你收受好了。」賀仁傑於是才收受。

賀仁傑收了金子拿回去交給母親之後，母親却全數把來平均散發給宗族裡面的窮人。

〔注一〕六盤山　在甘肅省固原縣西南。
〔注二〕宿衛　宮庭裡面值夜守門的警衛。

184 李易的母親

李易的母親，姓周。石城縣〔注一〕人。十六歲嫁給李伯通，生下李易。李伯通在金國的豐潤縣〔注二〕做官。縣城被元兵攻破之後，李伯通失蹤。周氏和李易被元兵捉住。周氏想到：一定會被元兵姦污，於是就丟下李易，找一個空隙，跳進一個山坑裡自殺。但是沒有跌死。監視她的人，火了；又用刀尖在她身上戳了三刀。但是仍舊沒有死。等監視的人，丟了李易和她走開之後，她就忍痛帶著李易到附近人家求包紮傷口。一路上，吃盡了苦頭，傷口慢慢地好了；她就帶著李易逃到了開封。在那裡用勤苦紡紗織布的方式維持生活。生活穩定了，再進一步教李易讀書，督促李易勤謹努力地讀。李易後來終於很有成就。

〔注一〕石城縣　在現在的遼寧省遼陽縣的東邊。
〔注二〕豐潤縣　在現在的河北省玉田縣東邊。

185 秦某的母親

有個叫秦閏夫的，他的續弦妻子柴氏，晉寧路（注）人。他的前妻留下一個兒子，年紀非常幼小。柴氏對這小孩，愛護得像是親生的兒子一樣。過些時，柴氏自己也生了一個兒子。那個時候，秦閏夫得了重病，無法醫好。快要死的時候，囑附柴氏：雖然家貧，却仍要好好撫養那兩個兒子。於是柴氏就在秦閏夫死後，勤苦地做些紡織工作，不但可以維持生活，撫養兩個兒子長大；而且還可以維持兩個兒子求學的費用。

至正十八年，賊兵攻打晉寧城。那前妻的兒子不幸被賊兵逼去參加賊隊。參加了一個時期才逃脫。當那兒子還沒有逃脫的時，賊隊裡面有惡少和一個叫張福的有仇，於是帶了賊兵去殺害張福的全家。亂平之後，官府追究這事，那個前妻的兒子被牽連在內。依法要處死刑。柴氏爲了要救那兒子，就決定犧牲自己的兒子去救。她教訓自己的兒子要作這犧牲。自己的兒子也聽從了。於是她們就共同去到官府哭訴。她說：「那次參加賊兵去殺害張福全家的，不是我的長子，是我的次子。」次子也說：「那次犯罪的是我。不是我的哥哥。不能冤枉人。」官府用刑逼她們說實話，她們始終不改口。官府反而懷疑她那親生的兒子不是她親生的。後來經過確切的調查，知道那次子，的確是她親生的兒子。官府被她的義氣所感動，於是就赦免了她那前妻的兒子的罪。至正二十四年，官府還向朝廷呈報；

結果朝廷下令表揚她。

〔注〕晉寧路　在現在的山西省。

186 順帝太子的母親

順帝的時候，設置了諭德〔注〕的官員和端本堂，以便進行太子講讀的事宜。有一天，太子的老師謁見太子的母后、說：「太子一向學佛學得很有心得。對佛教教義有深切的領悟。現在又突然改變學習方向，要他學習儒家的學理。這恐怕會破壞太子的眞性。」太子的母后聽了，大大不以爲然，說：「我雖然居住深宮，見識有限，不明白儒家的德化學理；但是我却知道：自古以來，平治天下，一定要運用孔子的道術，才能夠有成功的希望。否則，是走異端，就不失敗，也決不可能把天下躋上正常的道途。所以太子非改學儒學不可。」

太子的老師聽了這番話，非常慚愧地告退了。

〔注〕諭德　官名。唐朝高宗龍朔三年，設置太子左右諭德各一員。掌管有關太子進德修業方面的事宜。以後歷代都相沿設

置。到清朝才廢止。

187 鄭萬户的母親

杭州路（注一）有個姓鄭的萬戶（注二），性情非常急切而不能原諒人的小錯過。但是對於母親，却非常孝順。有一年，母親的生日快要到了，他就預先去買好了一段毽緞（注三）的衣料，請一個女裁縫做一件女袍送給母親作爲祝壽的禮物。那女裁縫把袍子做好之後，正要交給那鄭萬戶，却不小心把那件袍子弄上了一大塊油汚。那眞糟糕！那女裁縫非常窮苦，那麼貴重的衣料，就把家中的一點點脚家業典盡當盡，所得的錢也不夠賠償。想想，想不開，就上吊自殺。幸虧遇到人救，才沒有死。有一個鄰居婦人，和鄭萬戶的母親相識。知道鄭萬戶的母親性情寬厚；就代那不死的裁縫去向鄭萬戶的母親求情。鄭萬戶的母親自然應允了。

到了生日那一天，鄭萬戶的母親，裝著滿臉的愁容，躺在床上不起來。鄭萬戶跑去請安，看到母親這樣，就問母親是爲什麼。母親說：「昨天晚上我要裁縫把你請她縫製的那袍子，先給我看一下。不小心碰翻了桌子上的油灯，把袍子弄了一大塊油汚。我眞心裡好難過。」鄭萬戶說：「母親何必這樣呢？袍子弄汚了，再買一件就好了。怎麼值得母親這樣憂傷呢？」母親聽了，假裝轉憂爲喜。一個嚴重的問題，就這樣輕快地解決了。

〔注一〕杭州路　在現在的浙江省。

〔注二〕萬戶　官名。諸路萬戶府的管軍官。

〔注三〕毽緞　浮起花紋的毛織物。

188　一個鄉下人的母親

有個叫聶以道的，做江右〔注一〕某一邑的邑宰〔注二〕的時候，他轄內有一個鄉下人一早出去賣菜。在路上撿到至元寶鈔〔注三〕一捆。他高興得不去賣菜而馬上回家去報告母親。他以爲母親這一下一定會歡喜得了不得。不料母親却發他的脾氣，說：「這樣一大捆鈔票，你一定是什麼地方偷來的。人家遺失，只有遺失一兩張，三五張。哪裡會有遺失一大捆的？現在不管這些。我們窮人家，哪裡有命承受得了這麼多錢？留下了，一定惹大禍。你趕快拿去還人家。」兒子不聽從。母親再三催促拿去還。兒子仍舊不聽從。母親火了，就說：「你不聽話，我就去告官。」兒子說：「母親呀！這錢是路上撿到的。拿去還誰呀！」母親說：「你拿去原撿的地方等候，自然那失主就會來尋找呀！」兒子沒法，只得聽從母親的話去撿錢的原處守候。

果然過不久，一個尋找鈔票的人來了。那鄉下人很老實，也不問那人鈔票的情形，就把一捆鈔票交還他。那個時候，有好多人在旁邊。有人就提議要失主拿出一點償錢。失主却不肯。他說：「我遺失了兩捆，他却只還我一捆。我不追他另一捆，就便宜了他。還想償錢？」旁人聽了，非常不服，非常氣憤，就和失主爭得面紅耳赤，相持不下。拖拖拉拉，到了官府。

聶以道一問鄉下人，就知道一定是一捆。爲了愼重，又秘密派人去詢問鄉下人的母親。鐵證了是一捆。於是，聶以道就錄下兩個人的口供，一個是遺失兩捆，一個是撿到一捆，要他們在口供筆錄上打下手印。然後，聶以道馬上就對失主說：「你遺失的鈔票是兩捆。可見這一捆鈔票不是你所遺失的。你另外去尋找所遺失的兩捆好了。這一捆，是老天爺賜給賢母養老的。」說著，就把那一捆鈔票交還給鄉下人帶回去。旁邊的人，沒有一個不拍手稱快。

〔注一〕江右　指長江以西的地區。

〔注二〕邑宰　舊日縣令的通稱。縣令，相當於現在的縣長。

〔注三〕至元寶鈔　貨幣名。元朝世祖至元二十四年所發行的鈔票。

189 本壽的母親

有一個叫「本壽」的，不知道是個什麼人。有一天，他問他的母親，說：「富貴人家的女孩子都要纏脚。那是爲什麼呢？」他的母親回答說：「那是聖人要使女孩子不可以輕舉妄動。脚一纏，就走不動；就只能天天待在閨房裡面。要出去，就要坐車；很難得接觸到外界。這樣，女孩子的性情，就會安閑溫和起來。聖人這樣用苦心替女孩子防閑〔注〕，後世却還是有私奔的事。像詩經鄘風桑中所描寫的私自約會，像卓文君的夜晚向司馬相如私奔，都是。可見纏脚的重要。『纏脚』的文雅詞彙是『裹足』。范雎說：『裹足不入秦。』那『裹足』，也是形容兩脚走不動。脚走不動，尤其是女孩子脚走不動，做壞事的機會就少之又少了。」

本壽說：「母親這話，是不是說笑話？」他的母親回答說：「我那是聽別人說的。有不有根據？我不得而知。但是，就算是笑話，也含了極高深的哲理；那價值，並不會比有根據的話差多少呀！」

〔注〕防閑　是「防備、禁止」的意思。指防備、禁止不道德的影響。

明朝

190 成祖兄弟的母親

成祖是太祖的兒子。母親是馬皇后。

李希顏隱居不願做官。太祖親自寫詔書徵召他來京師教成祖的兄弟們。那位李老師教導非常嚴格。成祖兄弟們都是封了王的人。那位李老師却不理會這些。成祖兄弟們，有不受教的，他照樣打罵不稍寬貸。有一次，打傷了成祖的額。事後，太祖撫摸著成祖的額，邊撫摸邊生氣，不但出責罵的言辭，而且還有意要處罰李希顏。馬皇后看到太祖這樣，就直言勸諫說：「天下哪裡有老師用聖人之道來教訓兒子，家長反而發怒而要處罰老師的呢？」太祖聽了，馬上就把怒氣消了。事後不但不處罰李希顏，而且認為他管教嚴格，值得鼓勵，而正式授給他左春坊（注一）贊善（注二）的官職。

（注一）左春坊：官署名。是太子的官署。掌理對太子的侍從贊相和駁正啓奏官名等事宜。

（注二）贊善　官名。太子官屬。掌理對太子的侍從輔導教養等事宜。

191 神宗的母親

神宗的母親李太后，原是貴妃。神宗即位之後，上她的尊號叫「慈聖皇太后」。住在慈寧宮。大學士張居正，請求太后要親自照顧神宗的起居；於是，她就遷居乾清宮。

李太后遷住乾清宮之後，對神宗管教得非常嚴。如果神宗在該讀書的時候不讀書，她就要罰他長跪。神宗每次參加講筵回來，她就要他照講官所講的重講一遍給她聽。如果講得不好，又要受責罵。每天一早到了上朝的時候，神宗如果還沒有起床；她就親自去到神宗的寢室，大聲叫他起床。

有一次，神宗在一個和臣下飲宴的小宴席上喝醉了酒，叫內侍唱流行歌給他聽。內侍推辭說不會唱，神宗就用劍去刺那內侍。幸虧左右的人上前勸阻，才沒出人命。但是神宗還是發酒瘋，要割去那內侍的頭髮來給自己取樂。第二天，李太后聽到了這情形，非常惱怒，就叫張居正上疏切諫。並且要張居正代神宗草擬好責備自己的文書，交神宗抄去向有關方面散發。然後再叫神宗來罰長跪。在跪的過程裡面，還要重複數落神宗往常犯過的一些錯過。要到神宗流淚悔過、答應以後會痛改，那才罷休。

神宗在萬曆六年結婚。神宗結婚之後，李太后要回去慈寧宮。在快要回去之前，她向張居正交代著說：「皇帝能夠自立了。我不能夠再親自在乾清宮照顧管教他了。你曾經親自受先帝的付託要好好輔佐皇帝。希望你要時時刻刻對皇帝加以懇切的諍諫，不要辜負先帝的付託。」

192 王彰的母親

王彰，鄭州〔注一〕人。是成祖永樂年間的右副都御史〔注二〕。爲人非常嚴肅耿介。做官的時候，對私情請托，不分親疏，一概拒絕。但是在執法方面，過於刻薄。他的母親常常教誡他要改，他却總是改不了。結果雖然是善終；但是，如果沒有他母親的教誡，恐怕就不可能有這種善終的結果。永樂十一年，他的母親八十多歲。朝廷曾賞賜了他的母親冠服金幣。

〔注一〕鄭州　在現在的河南省。

〔注二〕右副都御史　官名。都察院的副長官。掌管糾核百官的事。

193 何士晉的繼母

何士晉，宜興縣〔注一〕人。他家是個富家。同族裡面的一些歹人，爲了貪圖他家的家財，於是結夥把他的爸爸何其孝殺死。那個時候，何士晉還是小孩。繼母吳氏，也沒有訴請官廳懲凶的能力。

於是受禍吃虧吃定了。

他的繼母吳氏，怕他也遭到殺害；於是帶他逃躲去繼母的娘家。這一段逃躲期間很長。繼母吃苦耐勞教他讀書。如果他稍微懶惰，繼母就拿出他爸爸遇害時的血衣來給他看。他看了，當然很悲悽，哀感很深；從而也就在讀書方面非常奮發。終於在神宗萬曆二十六年，考中了進士〔注二〕。那就有報仇的能力了。於是他提出血衣作證，具狀向官廳告訴。結果，所有當年謀財害命的歹徒，都被判死刑。

〔注一〕宜興縣　在現在的熱河省灤平縣西北。

〔注二〕進士（見第100篇的「注」。）

194　王章的母親

王章，武進縣〔注一〕人。是思宗崇禎元年的進士〔注二〕。他小時候就死了父親。母親管教他管教得非常嚴厲；因此他才考得中進士。他考中了進士之後，朝廷就任命他做諸暨縣〔注三〕的知縣〔注四〕。他做知縣的時候，他的母親還是一樣地對他管教得很嚴。有一次，王章參加一個餞朋友的行的宴會。多喝了一點酒，回家回得晚一點，他的母親就大大責罰他。罰他跪，還用棍子打他。並且罵他、說：「朝廷是把一個縣官拿給酒鬼做的嗎？」王章受罰的時候，趴在地上，不敢抬一下頭。要等到親戚朋友來勸解他的母親息了怒之後，他才敢起來。

（注一）武進縣　在現在的江蘇省。

（注二）進士（見第100篇的「注」。）

（注三）諸暨縣　在現在的浙江省。

（注四）知縣　官名。一縣的長官。相當於現在的縣長。

195 成德的母親

成德，霍州（注一）人。是思宗崇禎四年的進士（注二）。考中進士之後，朝廷任命他做滋陽縣（注三）的知縣（注四）。他為人性情剛正耿介，清廉而有操守。正義感極強，疾惡如讎。有一個場合，他因為大學士溫體仁有不合理的行事，因而有語言諷刺溫體仁。溫體仁自然恨他。又因正義感而得罪兗州（注五）知府。那知府就在御史（注六）禹好善面前說他的壞話。剛剛禹御史又是溫體仁的朋友。兩事湊在一起，禹御史就利用職權，誣陷成德貪污虐民。成德於是就被逮捕到京師。滋陽縣民衆，雖然組團去京師向朝廷請願，替成德申冤，但是因爲邪人太有力，所以沒有效。成德的母親張氏，看到這種情形，非常惱怒。就去京師，守候溫體仁外出的時候，繞著溫體仁的轎子大罵。並且用石子瓦片之屬，丟打溫體仁。結果當然是搞得遭禍更大。可是，爲了發揚正義感，她們母子對遭任何禍事，都感到心安理得，沒有半點後悔。

後來崇禎皇帝殉國，她們母子也跟著殉難。

〔注一〕霍州　在現在的山西省。

〔注二〕進士（見第100篇的「注」。）

〔注三〕滋陽縣　在現在的山東省。

〔注四〕知縣（見第194篇的「注」。）

〔注五〕兗州（見第84篇的「注」。）

〔注六〕御史　官名。掌理彈劾事宜的官。

金鉉的母親

金鉉，武進縣〔注一〕人。是思宗崇禎年間的進士〔注二〕。曾做過揚州府〔注三〕教授〔注四〕、國子博士〔注五〕、工部〔注六〕主事〔注七〕。崇禎十七年，做兵部〔注八〕主事。那時候，清兵攻打得很厲害，京師非常危急。早晚要被清兵攻下。金鉉於是跑去稟告母親、說：「京師早晚要淪陷。母親要趕快事先逃走。我受了國恩，只有以死殉國，不能逃。」他母親聽了，很生氣地大聲斥責他、說：「哦，你受了國恩？難道我就沒有受國恩嗎？走廊那頭的那口井，就是我葬身的地方了。」金鉉對著母親哭了一陣離去。

不久，京師被攻破，崇禎皇帝殉國。金鉉也就跳金水河自殺。他的母親聽說他自殺了，也投井自殺了。

〔注一〕武進縣（見第194篇的「注」。）

〔注二〕進士（見第100篇的「注」。）

〔注三〕揚州府　在現在的江蘇省。

〔注四〕教授　官名。督理學政的官。

〔注五〕國子博士　官名。教授高官子弟的官。
〔注六〕工部　官署名。舊管制六部之一。掌理全國有關農工業的事務的官署。
〔注七〕主事　官名。六部裡面的屬官。
〔注八〕兵部　官署名。舊官制六部之一。掌理全國武職銓選等軍政的官署。

197 薛之翰的母親

永明王由榔出奔緬甸〔注一〕的時候，昆明縣〔注二〕有一個諸生〔注三〕叫薛大觀的歎息說：「君臣都不能下必死的決心，和敵人作殊死戰，却要逃去蠻人的國家貪求苟活。這眞是活得太可恥了。」也向天說著，回頭向著他的兒子薛之翰說：「我現在要自殺，給那些貪求苟活的人一個無言的譏刺。也向天下的人闡明大義。我死了之後，你要勉力好好做人。」薛之翰說：「爸爸要爲忠而死，那我也要爲孝而死。」薛大觀說：「你還有母親在，你要奉養母親。你不能死。」那個時候，薛之翰的母親和他的妻子就在旁邊。薛之翰的母親，看著薛之翰的妻子、說：「他們父子倆能爲忠孝而死，我們兩個人，就不能爲節義而死嗎？」那時候，侍女正抱著薛之翰的幼小兒子站在旁邊。向著薛大觀他們問道：「你們主人都死了，那我活著有什麼意思呢？」薛大觀說：「如果你也願意死，那就最好不過了。」於是五個人一同到城北黑龍潭投水自殺。

第二天，五具屍首互相牽着浮在水面上。幼小的兒子，仍舊牢牢地被抱在侍女的手裡。

〔注一〕緬甸 印度支那半島西部的一個國家。

〔注二〕昆明縣 在現在的雲南省。

〔注三〕諸生 正在縣學裡面求學的儒生。

198 黎弘業的母親

黎弘業，順德縣〔注一〕人。考中了舉人〔注二〕之後，做和州〔注三〕的知州〔注四〕。思宗崇禎八年，流寇侵犯和州。黎弘業抵抗一次後，終於無力抵抗。城快要淪陷了，他就把州印綁在手臂上，跪在母親的面前說：「我這個不肖的兒子，爲了貪圖做個小官，今天竟連累母親。怎麼辦呢？」他的母親流著眼淚開導他，說：「你不要以我爲意。事態到了這步，我只有一死。」說後就進到她自己的房裡去自縊。接著，黎弘業也自殺。黎弘業的妻子楊氏、妾李氏和四個女兒，也都自殺。

〔注一〕順德縣　在現在的廣東省。
〔注二〕舉人　科舉時代鄉試及格的人。也叫「舉子」。
〔注三〕和州　在現在的安徽省。
〔注四〕知州　一州的長官。

199 孔以衡的母親

思宗崇禎十七年，流寇張獻忠攻陷成都縣〔注一〕城。僉事〔注二〕孔教不屈從賊人，因而被害。孔教的兒子孔以衡侍奉著母親向南方逃難。因爲怕母親傷心，就把父親被害的事瞞住母親，只說父親還在別處做官。

過了兩年，因爲要報請撫卹。朝廷有關的官員就到孔家來向孔以衡訪問。正在孔以衡的書房談話的時候。孔以衡的母親突然間來到書房。就這樣知道了：她的丈夫前兩年就已經死了。於是在訪問的官員走了之後，責罵孔以衡、說：「你爸爸死了兩年了，我却還在世上偷生。你叫我死了之後，怎麼有顏面去見你爸爸？」接著就用刀割喉而死。

〔注一〕成都縣　在現在的四川省。

〔注二〕僉事　官名。判官廳公事的官。

200 花煒的保母

花雲，懷遠縣〔注一〕人。是太祖手下的一員勇將。太祖還沒有建立明朝，還在爭天下的時候，花雲替太祖打了好些勝仗。元朝至正二十年，花雲駐軍太平縣〔注二〕城。太祖當時的強對手陳友諒帶兵來攻。最後，城被攻陷。花雲被捕後罵賊被殺。那時候，花雲有一個兒子，只有三歲。花雲的妻子郜氏，抱著那幼兒流著眼淚對幾個家人、說：「我不能讓花家沒有後代。我現在要自殺。希望你們裡面，有人能夠出力撫養那幼兒。」說罷，就放下幼兒去投水死了。

家人裡面有一個侍兒孫氏，願意做幼兒的保母。她在安葬郜氏之後，就帶著幼兒去逃難。在逃難路上，連同別的逃難人群，大夥兒被陳友諒軍劫掠到九江府〔注三〕。然後大家散亂地逃。孫氏就帶著幼兒去投靠一個有善心的漁家。只借住處，吃就由孫氏變賣極少的一些簪珥之屬的比較貴重的裝飾品來支持。不久，陳友諒軍打了敗仗，控制難民的力量沒有了；孫氏就帶著幼兒過江逃走。船在江口的半中腰的時候，遭到敗兵搶船；把船上的人，都丟進江裡。大多數都淹死了。孫氏抱著幼兒，却幸運碰到一根半朽大樹幹；孫氏就抱著那根樹幹，飄浮到一個蘆葦洲上。在洲上住了七天。自己咬牙關挨著餓，幼兒就用採到的一些野蓮子來喂他。這樣，幼兒才沒被餓死。

第七天，突然在半夜裡，有一個老翁叫「雷老」的，來到她們身邊。要帶她們去逃難。她們跟著雷老逃了一年。終於到達了太祖的駐地。孫氏抱著幼兒去見太祖。哭得淚流滿面。太祖也感動得流淚。太祖接抱著幼兒放在膝上、說：「這眞是一個將種！」然後賜給雷老衣服。可是，雷老忽然之間就不見了。幼兒還沒有取名；太祖就賜幼兒名「煒」。

事後，太祖封孫氏爲安人。並且建祠堂祭祀她。

〔注一〕懷遠縣　在現在的廣西省。

〔注二〕太平縣　在現在的浙江省。

〔注三〕九江府　在現在的江西省。

清朝

201 田雯兄弟的母親

田緒宗是順治九年的進士（注一）。做浙江省麗水縣的知縣（注二）。死在任內。他的妻子張氏，德州（注三）人。田緒宗死後，她教誨三個兒子田雯、田需、田霡，使他們都有成就。

張氏七十歲的那年，親友們發起要爲她祝壽。她要她的兒子們去向親友們婉辭。她教誨三個兒子、說：「依禮書的規定：死了丈夫的女人叫『未亡人』。『未亡』有『只欠一死』『最好能夠也像丈夫一樣地快點死』的意味。所以，凡吉凶交際的事，都不該參與。後世有『登堂拜母』的事，那是失去了禮的原意的事。我自從你們的父親死後，心情悲苦地生活了三十多年。一切行爲，都謹愼照禮而行。現在幸而你們都長大成人而有自立能力，兒女滿前，有牽衣嬉笑的歡樂；我固然很高興，但是我也很悲悽。爲什麼呢？因爲想到你們的父親早就走了，不及見這些歡樂情形，我心裡就怦怦跳動。我或是在半夜裡坐起來歎氣，或是在吃飯的時候放下筷子掉淚，這都是我的常事。現在一旦賓客滿門，說是來給我慶祝。在基本上，你們想，我有什麼可慶的呢？三十多年來吉凶交際的事我都不參與，現在却要我參與這麼動衆的交際。那是合禮的事嗎？如果你們不去向親友們婉辭；那，不但不能增加我的快樂，正相反，却只會增加我的悲苦。你們在朝廷做官，應該是能夠深體禮意。希望能夠婉辭親友美意，以安老人的心。」

張氏七十七歲逝世。著有茹茶集。田雯做官最高做到戶部（注四）侍郎（注五）。

〔注一〕進士（見第100篇的「注」。）

〔注二〕知縣（見第194篇的「注」。）

〔注三〕德州 在現在的山東省。

〔注四〕戶部 官署名。舊官制六部之一。掌理全國戶口、田賦等行政的官署。

〔注五〕侍郎（見第110篇的「注」。）

202 嵇曾筠的母親

嵇永仁，無錫縣〔注一〕人。他的妻子楊氏，長洲縣〔注二〕人。嵇永仁在福建總督府做幕僚。在耿精忠叛變的時候殉難。那時楊氏只有二十七歲。兒子嵇曾筠只有七歲。楊氏的舅姑却都很老。楊氏撫養幼兒，侍奉舅姑，備嘗艱苦。舅姑逝世後，喪葬都盡禮。福建平定之後，嵇永仁的僕人運回嵇永仁的靈柩。楊氏又典當衣物，盡禮營葬。

辦完了舅姑丈夫的喪葬，楊氏流淚對著兒子嵇曾筠，說：「你爸爸死的時候，我本該也死。但是有舅姑在，要人奉養，我不能死。現在舅姑去世了，我本來又可以死。但是，你還沒有成人。你叫我怎麼辦哪！」說著，忍不住嚎啕大哭。

嵇曾筠長成以後，非常努力求學。楊氏在貧苦的環境裡，每天都是勤苦地織布賺錢買米。常常指著艱苦得來的少量米，對嵇曾筠，說：「你會努力讀書，才配吃這些米。我却只能喝粥，才對得你爸爸起。」嵇曾筠聽了母親的話，非常感動，更加力爭上游，終於大有成就。官做到文華殿大學士〔注三〕兼吏部尚書〔注四〕。在嵇曾筠做官的時候，楊氏又常常教誨他要清廉謹愼。所以嵇曾筠一直是朝中一個好官。楊氏到八十四歲才去世。

〔注一〕無錫縣　在現在的江蘇省。

〔注二〕長洲縣　在現在的江蘇省。

〔注三〕文華殿大學士　官名。給皇帝講經或備顧問的官。

〔注四〕吏部尚書　吏部，舊官制六部之一。掌文職銓敍等行政。吏部尚書是吏部的長官。

203 張廷玉的母親

張英的妻子，姓姚。桐城縣〔注一〕人。張英在翰林院〔注二〕做官的時候，家境非常貧窮。但是有人送他一千兩金子，他却不收受。他想試試姚氏的操守，故意向姚氏說：「人家送我一千兩金子，你說要不要把它收下來？」姚氏說：「一個窮人家，只要有人送五兩十兩金子，僮僕們就會歡天喜地地到處去宣揚。現在無緣無故得到一千兩金子，更是會傳得到處都曉得。假使人家來問：『你家哪裡來的那麼多的金子？』我們怎麼去回答人家呢？我們不會慚愧得要命嗎？」張英聽了，心裡暗自高興姚氏的有高深操持。

姚氏平日多半過著典當衣物買米或賒米的生活，毫無不自在的感覺。後來張英收入稍微好些，姚氏仍舊是像窮時一樣的節儉。一件青布衣衫，一連穿好多年不會換一件。張英做了宰相，收入自然較好；可是姚氏還是儉約習慣不改。尤其是對人謙恭，非常難得。親戚朋友有時候會派人來向姚氏請安。有一次，有一家親戚派一個婢女來向姚氏請安。姚氏剛剛坐在門口補衣衫。那婢女不認識姚氏，就不大客氣地問姚氏、說：「你家夫人在哪裡？」姚氏非常謙恭地站起來回答說：「就是我。」那婢女聽了，感到非常慚愧。

姚氏的兒子張廷玉，起初也是在翰林院做官。在南書房〔注三〕當值。有一天，康熙皇帝向左右、說：「張廷玉兄弟，不但是父親的教誨好，母親的教誨也是非常的好。而且是平素日常生活上的身教。非常難得。」

姚氏六十九歲逝世。著有含章閣詩。

〔注一〕桐城縣　在現在的安徽省。
〔注二〕翰林院　官署名。掌理秘書著作等事宜的官署。
〔注三〕南書房　翰林在內廷供奉的處所。

204 尹會一的母親

尹公弼的妻子，李氏，博野縣〔注一〕人。尹公弼早年就去世。家境很貧窮。李氏的舅姑又年紀很老。李氏自己的父母又體衰多病。沒有兒子。李氏擔任夫家、娘家養生送死的雙重責任，感到非常繁重。所以經濟狀況經常是拮据，對生活維持感到非常吃力。好在她教誨兒子尹會一有法度，而尹會一也自知力爭上游；因此，尹會一在雍正年間考中了進士〔注二〕之後，就得到了襄陽府〔注三〕知府〔注四〕的官職。家境就有了轉變了。

尹會一做知府的時候，迎著母親在任內奉養。母親也就在這個時候，幫助尹會一太多：府境內，天晴天雨不合農民需要的時候，李氏就親自設壇祈晴或祈雨。有瘟疫災害或蝗蟲災害的時候，她也是親自設壇祈禱消災。每年寒冷的冬天到了，李氏就施捨寒衣救濟窮人。六十歲以上的窮人，還加贈布帛。襄陽府的老百姓，得受了這些恩澤，都對李氏感恩不盡，建「賢母堂」紀念她。

後來尹會一調任揚州府（注五）知府。揚州府境內的社會風氣是愛奢華的。李氏撰寫女訓十二章，交給尹會一去散發給各有關方面，去發揮教儉的作用。

後來尹會一又調升河南省巡撫（注六）。在任內，李氏督促尹會一節省自己薪俸的用度，用來周濟貧苦，散發老人、窮人寒衣，補充軍費，……。民間因爲太過感激她，建立生祠來膜拜她。

後來尹會一被調回京師，任左副都御史（注七）。李氏因爲有病，不能去京師接受兒子的奉養，尹會一就陳情請准了朝廷讓他回鄉去奉養母親。在這期間，李氏又督促尹會一先後設置學塾、社倉等增進民間福利的設施。

最後，乾隆皇帝賜詩嘉許李氏的善行。並且給她所住的廳堂題贈「荻訓松齡」的匾額。

李氏七十八歲逝世。

〔注一〕博野縣　在現在的河北省。

〔注二〕進士　（見第100篇的「注」。）

〔注三〕襄陽府　在現在的湖北省。

〔注四〕知府　官名。一府的長官。

〔注五〕揚州府　（見第196篇的「注」。）

〔注六〕巡撫　官名。原是在省裡巡行地方、安撫軍民的官。是臨時性的。後來改爲總攬全省民政、軍政的官。改成了定員。

〔注七〕左副都御史　官名。都察院的副長官。掌管糾劾百官的事。

205 胡宗緒的母親

胡彌禪，桐城縣〔注一〕人。他的妻子潘氏，也是桐城縣人。胡彌禪死的時候，留下三個兒子。長子胡宗緒只有十歲。胡家的家境非常貧窮；但是潘氏還是撐持著要胡宗緒去讀書。胡宗緒就讀的村塾在山的那邊。每天早上胡宗緒去上學，潘氏總要送到村前，流著眼淚看著胡宗緒翻過了山嶺看不見人影了，她才回去。晚上，到胡宗緒要回家的時候，又去村前流著眼淚等著胡宗緒回家。

潘氏這樣支撐了三年。最後實在拿不出繳塾師的學錢了；迫不得已，只好讓胡宗緒失學。但是潘氏還是督促胡宗緒在家裡努力自學。潘氏自己沒有讀多少書，當然沒有能力教胡宗緒的書。可是她還是懂得一些。比方：聽到程、朱的話，她就很高興；督促胡宗緒努力讀。聽到司馬相如的美人賦〔注二），她就生氣；禁止胡宗緒讀。兒子要外出的時候，一定要先禀告母親。出去之後回來的時候，如果身上沾了露水，就要責打。並且責問：「爲什麼不走大路而要去走小路？」一年成不好的時候，米價太貴，潘氏自己就從不吃米飯，只吃自己栽種的瓜果蔬菜。米煮的粥或飯，就給兒子吃。兒子吃的粥或飯，吃得有剩，潘氏也不吃；只拿去賙濟村裡面的更窮的人。有一天，潘氏有事出去了。有一個來他家裡做客的親戚，幫忙胡宗緒兄弟整理菜園，挖出了好些金銀財寶。那個親戚當然是要把那些金銀交給胡宗緒。胡宗緒却不收受，硬要讓給那個親戚拿去。潘氏回家之後聽到那種情形，非常贊賞兒子的有廉介習性。

胡宗緒由於受了母親的教誨和督促，就考中了雍正八年的進士（注三），做了國子監（注四）司業（注五）。品學兼優，有著作行世。

（注一）桐城縣（見第203篇的「注」。）

（注二）美人賦　古文苑司馬相如美人賦注，有下面那意思的文言注語：美人，是司馬相如指他自己。一般，詩人所說的「美人」，都是指有才德的人。司馬相如却是憑藉他那容貌的美來說他是美人。這似乎有點可鄙。

（注三）進士（見第100篇的「注」。）

（注四）國子監　舊時國家唯一的大學。

〔注五〕司業 官名。國子監的副長官。

206 張惠言的母親

張蟾賓的妻子，姜氏，武進縣〔注〕人。張蟾賓早年去世。留下兩個兒子張惠言、張翊。張家家境出奇地貧窮。張惠言只好隨從伯父讀不要付學費的書。因爲他家家境太窮，所以他很少從伯父家裡回家省親，省得增加家裡面膳食的負擔。有一次，他回家省親，就遇上沒飯吃的場合。因此他只好早睡。可是，因爲肚子太餓了，第二天倒在床上爬不起來。姜氏摸著他的頭、強忍著淚水對他、說：「孩子！你是餓得沒有力起床嗎？你是沒有餓慣呀！我和你的姐姐、你的弟弟在家裡，常常是這樣餓的呀！」

張惠言稍微長大了一點之後，讀書也讀得很好；姜氏就要他教弟弟張翊讀書。姜氏和女兒就勤苦做女紅來賺錢維生。多有一個女兒做女紅了，生活就比較好些了。她們做女紅，爲了限制自己，常常把用線的數量來做暫停女紅的標準。早上起床之後，要用完了三十根線，（舊時做女紅的線，有一定的長度。）才煮早飯吃。晚上，在微弱的燈光下，姜氏一方面督促兩個兒子讀書，一方面帶領著女兒做女紅，常常是做到快要天亮了才會去稍微睡一下覺。鄉里的人都對姜氏讚不絕口。

〔注〕武進縣（見第194篇的「注」。）

207 汪輝祖的嫡母〔注一〕和出母〔注二〕

汪輝祖，蕭山縣〔注三〕人。他父親去世的時候，他很幼小。全靠嫡母王氏和出母徐氏刻苦耐勞把他撫養教育成人。

汪輝祖成年後去做州縣裡面掌管刑罰事宜的助理官的時候，王氏常常警戒他、說：「你的父親曾經說過：『人生最悽慘的事，無過於被關監牢。冤獄固然值得同情；就是自作孽的坐牢，站在仁愛的立場，也應該是哀矜勿喜。』你做刑法執行助理官員，應該善體你父親的意思。」汪輝祖從官府下班回家，王氏、徐氏一定要問：「你沒有做故意入人死罪的事罷？你沒有做破人家庭的事罷？」要汪輝祖答覆的是「沒有。」，她們就喜歡。否則，即使是答覆的「依法難免死罪。」「依法難免家破人亡。」王氏、徐氏還是相對著默默流淚。

王氏生平最不喜歡「有議論人長短、批評人家的過失」的習性的人。汪輝祖當然不會有這習性。但是，只要汪輝祖偶然有這毛病，她就要教誨說：「你只要自己沒有這缺失就好了。人家有這缺失，你去說它幹嗎？」

徐氏平常都是穿粗布衣衫，勞苦操作。碰到年成不好，米價貴，她一天要織上一整匹布去換米。碰到得瘧疾，她也是拚命地織。一條棉被，蓋用了二十多年。汪輝祖請求她換買一條新的，她就說：「這是你父親給我的。這是不可以掉換的。」徐氏有病，汪輝祖買點人參給她吃，她不肯吃。她說：「你父親病得要死的時候，我沒有錢買人參給他吃。我現在怎麼忍心吃人參？」王氏勉強她吃，她就勉強微微地嘗一下算了。

徐氏死後十多年，汪輝祖在乾隆年間，考中了進士〔注四〕。後不久，王氏逝世。

〔注一〕嫡母　（見第95篇的「注」。）

〔注二〕出母　親生的母親。

〔注三〕蕭山縣　在現在的浙江省。

〔注四〕進士　（見第100篇的「注」。）

208 馮桂芬的母親

馮智懋，長洲縣〔注一〕人。他的妻子謝氏，嘉興府〔注二〕人。馮智懋的家境，漸漸走下坡，原很貧窮；加上不幸遇火災，就更窮了。謝氏處在這種環境裡，却毫無憾恨，很樂觀地撐持家計。兒子馮桂芬，考進了縣學〔注三〕做諸生〔注四〕，謝氏非常高興地對兒子說：「你們家好久沒有出一個秀才〔注五〕。你現在考取了秀才，眞是太好了。但願你們家代代出個秀才就夠了。不必去求高層的科舉功名了。」

可是，人是往上爬的。馮桂芬努力讀書，終於考中了道光年間的進士〔注六〕。考中進士後，就要去做官了。謝氏又另外用個說法訓誡兒子、說：「人人應該有個盡職的觀念。比方：我們女人，做女紅，做家務事或廚房裡的事，都要盡職。雖然這職很容易盡，却仍要有盡職的觀念才做得好。你將來做官，該時時刻刻做到盡職負責。」有時候，謝氏又說：「做個官，如果心目中總是想多賺得一些錢，那和做個商人有什麼分別呢？怎麼可以叫『官』呢？你爲人很厚重，當不致於只想賺錢。我說這話，只是勉勵勉勵你。」

蘇州府〔注七〕、嘉興府兩府的老百姓，都被官廳的抽重稅搞得極端窮困。謝氏娘家原很富有，後來因爲稅重，被搞得家破人亡。所以謝氏最痛心這點。常常訓誡馮桂芬、說：「你將來如果做了有言責的官，第一就要向朝廷力爭廢除重稅制度。」同治初年，江蘇省、浙江省局勢稍爲安定。馮桂芬在江蘇省巡撫〔注八〕李鴻章官府做幕僚人員。他就向李鴻章進言「減稅」的事。李鴻章應允了。結果，蘇州府、松江府〔注九〕兩府，太倉州〔注一〇〕一州，減稅三分之一。常州府〔注一一〕鎭江府〔注一二〕減十分之一。浙江省巡撫左宗棠也仿效江蘇省，請朝廷減少嘉興府的稅額。也得到核准。

兩省的老百姓受惠不淺。

〔注　一〕長洲縣　（見第202篇的「注」。）

〔注　二〕嘉興府　在現在的浙江省。

〔注　三〕縣學　舊時設在縣裡面的學校。

〔注　四〕諸生　（見第197篇的「注」。）

〔注　五〕秀才　「諸生」的俗稱。

〔注　六〕進士　（見第100篇的「注」。）

〔注　七〕蘇州府　在現在的江蘇省。

〔注　八〕巡撫　（見第204篇的「注」。）

〔注　九〕松江府　在現在的江蘇省。

〔注一〇〕太倉州　在現在的江蘇省。

〔注一一〕常州府　在現在的江蘇省。

〔注一二〕鎮江府　在現在的江蘇省。

209 程學伊的母親

程世雄的妻子萬氏，衡陽縣〔注〕人。程世雄早年去世。留下了一個幼弱的兒子程學伊。萬氏刻苦耐勞把兒子撫養教育成人。程學伊長大後，家境漸漸有起色；但是並不十分富有。萬氏却對兒子的熱心公益事非常贊助。咸豐年間的軍事將領，像：唐訓芳、陳士杰、彭玉麟，常常到處籌措軍費。程學伊幫助他們很大。幫助的力，大部分出自萬氏。萬氏每天都做好一百個兵士的飯餐量，交給程學伊送去軍中。軍中沒有一個官兵不稱讚萬氏是賢母。

〔注〕衡陽縣 在現在的湖南省。

210 高家小兄弟的繼母

有個叫「高學山」的，繼室王氏，瀘州〔注一〕人。王氏為人非常仁慈。高學山的前妻遺下四個兒子，身體都非常衰弱。王氏照顧他們無微不至。長子病得快要死的時候，哭泣著向繼母謝恩說：「

我死了之後，願意再出生來做您的兒子。」第三個兒子病得快要死的時候，也同樣地向繼母謝恩而說同樣的話。

過了一年，王氏有孕。高學山有一天晚上，夢見已經死了的那兩個兒子回到家裡來。醒來之後，覺得奇怪。當天晚上，王氏就生產了一對雙胞胎。

王氏把那對雙胞胎加意撫養教育。督促他們用功讀書，謹愼交朋友。長大後，兩個人都考中了舉人〔注二〕。

〔注一〕瀘州　在現在的四川省。

〔注二〕舉人　（見第198篇的「注」。）

民國

211 蔣中正的母親

先總統　蔣公中正，浙江省奉化縣人。他的母親王太夫人，是浙江省嵊縣王有則先生的女兒。舊時的女性，是不大受教育的；但是，王家是浙江的望族；望族人家的女兒，就大都會讀些古書。所以，王太夫人在閨中的時候，就讀了好多古書；對於我國固有道德，有深厚的基礎。她更知道家庭教育的重要，對家庭教育也很有方法。所以，先總統　蔣公，在她的教誨下，就做成了近代一位最偉大的偉人。

先總統　蔣公九歲的時候，他的父親肅庵公就逝世了。舊時寡婦孤兒在鄉里裏面，往往是被鄉里豪強欺凌的對象；先總統　蔣公母子，也不例外。那時候鄉里裏面的一些豪強無賴的人，有些貪圖謀買，用好些間接的卑劣手段，逼迫他家賣產。有些就直接用豪強無賴的手段，無理取鬧地把他家的田產、房產強佔。那時候，先總統　蔣公的家境，只是小康。有點家產，是完全要靠著那點家產的租入才能生活的。王太夫人在這種極惡劣的環境裏面，發揮她的能幹的德性，和豪強無賴們周旋。雖然在周旋的過程裏面，不知道吃了多少苦，受了多少氣；但是，她毫不悲觀氣餒。她認爲：這種逆境，還正可以磨練先總統　蔣公的奮鬥意志。因此，她經常訓誡先總統　蔣公，要力爭上游，做個出人頭地的人。那才不致受人欺淩。

要做個出人頭地的人，就要在幼小的時候開始磨鍊。因此，她對幼小的先總統　蔣公，管教得非常地嚴。每天早上，她都要先總統　蔣公起得很早，一天也不能例外。起來洗過臉之後，馬上就去做灑掃廳、房、庭、院……揩拭門、窗、桌、椅……的工作。也是一天也不能例外。吃飯的時候，要規規矩矩地坐著，不能架手搭脚。夾菜不能亂翻。只要是吃得的東西，不能這不吃那不吃。吃過飯之後，碗筷要自己去洗。睡覺的時候，脫下的外衣外褲，不可以亂丢，一定要摺疊得整整齊齊。每天去上學的時候，不能把玩具帶到學塾裏面去。放學回家之後，王太夫人一定要考問在學塾裏面所學的功課。在做人方面，譬如：不說謊，不隨便拿人家的東西，對人要有禮貌，……王太夫人都管得很嚴。一有不對，就隨時隨地糾正；一定要改了她才安心，否則總是細心、細聲教誨。在這種優良的家教下，先總統　蔣公，在幼年的時候，就養成了刻苦自勵、勤勞嚴肅、對人彬彬有禮的良好習慣。先總統　蔣公，民國二十三年的所以在江西南昌發起新生活運動，起了很大的對國民生活的教化作用，就全是他幼小時候受了母親的這種道德教誨的緣故。

先總統　蔣公十三歲的時候，王太夫人聽說嵊縣有一位道德、學問都很高的姚宗文先生設立經館教授學生，她就把先總統　蔣公安排去姚老師那裏讀書。在這過程裏面，王太夫人時常訓勉先總統蔣公、說：「你要好好讀書。同時要有遠大的志向。但是，遠大的志向，不是要做大官，發大財，而是希望你能夠做一翻大事業，爲國家民族造福，爲家族祖先增光。」這些話，在蔣公的心目中，留下了不可磨滅的印象，奠定了他一生爲國家盡忠、爲民族盡孝、以國家興亡爲己任、置個人生死於度外的人生觀。

先總統蔣公十九歲的時候，爲了謀求前途的發展，決定去日本留學。當時鄉村民智不大開化，鄉里間人們的觀念，絕大多數都是以安於現狀爲滿足，不想求發展，更不作興說什麼「有大志」。所以，先總統蔣公要去日本留學，親族朋友們，都勸王太夫人：不可以這樣做，以免使得家庭經濟拮据。但是，王太夫人的眼光和衆人不同。她一點也不聽親友的勸阻，毅然決然要先總統蔣公去日本留學。財力不夠，親友不肯借錢幫助，她就變賣首飾和貴重一點的物品，籌措路費、學費，給先總統蔣公去日本留學。王太夫人這種舉措，給了先總統蔣公無比的奮鬥助力。是蔣公日後成爲一代偉人的最主要基礎。

辛亥武昌起義的時候，先總統蔣公到杭州去主持浙江的革命工作。當時鄉里的親友裏面比較更親的親友，聽說先總統蔣公也是革命黨人，而且是領導人物，都嚇得要命，都跑來向王太夫人、說：「這是非常危險的事。」力勸王太夫人趕快阻止蔣公不可以做革命黨人。可是王太夫人一點也不被勸阻的話動搖初心。她很堅決地先後分別回對親族朋友們、說：「男兒報效國家，就是死了也值得。這是光榮的事，沒有什麼可怕。我不會阻止我的兒子做革命黨人。」接著，她還派王良岳到杭州去見蔣公、說：「捨生取義，古有明訓。不要爲著掛念家庭而影響你的革命工作。」

後來革命成功了。較親的親族朋友們，却又來向王太夫人道賀。王太夫人却一點也不顯得驕傲。只不時寫信告誡先總統蔣公、說：「要盡心盡力爲國效勞。不可以志得意滿。」

民國成立之後不久，革命事業受到挫折，革命黨人一時在國內不能站脚。先總統蔣公就流亡到海外去。在海外，有時候個人生活費用拮据，有時候爲了革命工作需要錢，蔣公就不時寫信給王太夫人請求資助。很多親友都怕招禍而勸王太夫人不可以回信。王太夫人却堅決地對來勸的親友、說：「天上哪裏有兒子陷於經濟困窘而母親不管的？」於是每次都是想盡方法籌足蔣公需要的錢寄去。

國父孫中山先生，因爲欽佩王太夫人的遠見和有賢母作風，在民國五年的時候，特地親自寫了一個「教子有方」的橫匾贈送給王太夫人。

王太夫人享年五十八歲。她是一個典型的賢母。她的賢德，可以和孟母、岳母相媲美。

212　胡適的母親

胡適先生，安徽省績溪縣人。他的母親馮太夫人，出身農家，沒有讀過書。但是在嫁給鐵花公之後，鐵花公教她認識了一些字。胡適先生三歲多的時候，鐵花公就去世了。馮太夫人那時只有二十三歲。在家庭裏面又是後母的身份。所以經常是處在忍氣吞聲、茹苦含辛的情況裏面。

胡適先生五歲進學館讀書。在由馮太夫人用字卡教他認字的情形下，這時候，他就已經認得將近一千字。當時的學館，向老師繳學費繳得很少，每個學生每年只消繳一兩個銀元。馮太夫人因爲希望胡適先生讀書讀得有成就，她就向老師多送學費，每年送六個銀元。以後還每年增加。這不是利誘，這是尊敬。老師受到這比較特別的尊敬，自然就更多用心教胡適先生。馮太夫人要求老師教胡適先生讀書的時候，不要讓胡適先生死記死背，要把課文含意講解明白。老師自然應允。因爲胡適先生既聰明又好學，因此他在幼年的時候，就對許多古文古事，有了透徹的瞭解。

胡適先生是馮太夫人的獨子，但是馮太夫人對他並不因爲是獨子而就溺愛。她只是慈愛而嚴格管教。她的嚴格，即使在胡適先生休息遊玩的時候，她也限制胡適先生，不許同一些粗野的孩子遊玩。走路不許亂跳亂跑，要規規矩矩地走，走得像一個道學先生的樣子。這些教訓，使得胡適先生在幼小的時候，就養成了高尚的自尊心。

在日常生活上，每天天剛亮的時候，馮太夫人就要叫醒胡適先生起床。醒來坐了一會睡意清醒之後，馮太夫人就告訴他：昨天他做了一些什麼不對的事，說了一些什麼不對的話。要他切實改過。又告訴他：他父親做人的一些好品德，要他效法。她幾乎每天都說：「你總要踏著你父親的脚步前進。我一生只看過你父親這樣一個完全的人。你要學他。不要使他丟臉。」有時候說到傷心的時候，就不禁流下淚來，馮太夫人雖然這麼嚴，但是，她却從來不在別人面前責罵胡適先生，更不在別人面前責打胡適先生。胡適先生做錯了事，有別人在場，她就只用嚴厲的目光望胡適先生一眼，不再說什麼。犯的是小錯，她就在第二天早上教訓他。犯的是大錯，就等晚上人靜的時候，關上房門，先責罵胡適先生的過，再罰跪或責打。無論怎樣重罰，絕對不許胡適先生哭出聲來。意思是：不想在旁人面前顯示自己的善於教子，或不想旁人有「藉教子而指桑罵槐刺別人」的誤會。

有一次，天氣比較冷。胡適先生在外面玩。一位在他家做客的親戚，叫胡適先生回來加穿衣衫。邊叫邊說：「快加穿衣衫呀！涼啦！」胡適先生玩得正高興，被掃了一下興，就開玩笑地說：「老子還不老子哩！娘！」（這話的意思，是：父親都去世了，還什麼娘？「老子」是「父親」的俗稱。「娘」是「涼」的諧音。）馮太夫人聽到胡適先生這句輕薄話，非常傷心。晚上重重地責罵胡適先生，說：「你沒有了父親，還是什麼得意的事嗎？」責罵之後，接著罰他跪。不許他去睡。胡適先生跪著哭著。用手擦眼淚。不知道擦進了什麼毒物，後來足足害了一年多的眼翳病。怎麼醫也醫不好。馮太夫人又急又悔。聽說眼翳可以用舌頭舔去，在一個夜裏，她把胡適先生叫醒，眞的用舌頭去舔胡適先生的眼翳。

胡適先生在他的四十自述裏面說：「我孤零零地一個小孩，所有的防身工具，只是一個慈母的愛。」又說：「在這廣漠的人海裏，獨自混了二十多年，沒有一個人管束我。如果我學得了一絲一毫的好脾氣，如果我學得了一點點待人接物的和氣，如果我能寬恕人，體諒人，我都得感謝我的慈母。」